理工学の想像力
飯吉厚夫と語る

澤本光男・津田一郎・中西友子・平田豊
昌間優希 編

風媒社

飯吉厚夫近影（小田やすは 撮影）

はじめに

飯吉厚夫

　この対談集は、「理工学の未来」（当初タイトル）について、学校法人中部大学に所属している、各分野の第一線で活躍中の４人の研究者と、私との対談を一冊にまとめたものです。

　私が1999年４月に中部大学の第３代学長として着任してから、2024年４月で25年が過ぎようとしています。この四半世紀の間に、世の中は著しく変化し、科学技術が大きく進化を遂げて世の中が豊かさを享受した一方で、新たな技術革新は地球環境の破壊による異常気象や自然災害の頻発も同時に招いています。近い将来、飛躍的発展を遂げた人工知能AIの能力が、人類の知能を超える可能性があるとも言われていますが、ヒトを超えた人工知能がどのような世界をもたらすのか、人類は大きなターニングポイントを迎えていると言えるでしょう。

　技術は進歩しても、心の問題を抱える人は増えていますし、悲惨な戦争が世界各地で起こっています。果たして世界は進化しているのかどうか、疑わしいと私は感じています。そのような世の中にあって、地球上の叡智を結集し、人類がお互いに協力しあって、ともに新しい世界を創っていく、「共創」という考え方が必要になってくると思っています。大学はリベラルアーツからエンジニアリングまで幅広い分野の専門家の集まりですから、そういった新たな世界の再構築に、重要な役割を果たすべきだと考えています。

　この書籍は、『理工学の想像力』と題して、本学の理工系の知を結集して、私の学問的集大成の一つとしつつ、理工学の発展に貢献することを目的としています。

3

高分子化学研究の第一人者である澤本光男先生、複雑系科学・応用数学・脳神経科学が専門でカオス・複雑系の数理研究で有名な津田一郎先生、植物生理学者・放射化学者でアイソトープ研究において顕著な研究実績を挙げられている中西友子先生、生体情報工学・神経科学の研究者で脳を工学的理論・技術で研究している平田豊先生など、個性豊かな先生方との対談が実現しました。研究のお話だけでなく、先生方の生い立ちや幼い頃に興味関心のあったこと、学生・若手研究者時代の思い出や、今後の理工学の未来に至るまで、さまざまな興味深いお話を聞くことができ、楽しく対談を終えることができました。

　この書籍を手に取っていただいたみなさん、特に高校生・大学生などの若い人たちが、本書によって知的好奇心を刺激され、理工学の道を志し、世界中の様々な世代やバックグラウンドの人達と手を取り合って、これからの世界が調和ある発展に向かっていくよう、新しい社会の「共創」に取り組んでいってくれることを願っています。また一方で、一般の読者のみなさんが、難しいことは抜きにして、読み物として本書を楽しんでいただき、少しでも理工学の未来について想いを馳せていただけると嬉しく思います。どうぞ、本学園を代表する4人の研究者と私との対話をお楽しみください。

2024年2月

目次

放射線から見える自然の世界 91

生物の脳から宇宙を探る 141

分子の美しさを楽しもう

澤本光男

▶ サイエンスの可能性

岩間　連続対談の第1回目として澤本先生に登場いただきました。私は文系の研究者ですので、司会というよりも一般の読者を代表するつもりでいろいろお伺いしていきたく思います。本日はよろしくお願いいたします。

澤本　今（2023年）から6年前ですか、中部大学への採用面接をしていただいたとき、ノーベル賞の青色LED（Light Emitting Diode）をきっかけに、飯吉先生がどういう具合か物理学はもう終わりだねとかおっしゃいました。採用面接のはずが宇宙は縮むか拡がるかといった話になった記憶があります。

飯吉　そうでしたか。今日はとにかく私は聞き役に徹します。

澤本　物理学と化学と生物学は自然科学の基幹分野なんですが、物理学が一番本質的な科学であるとスティーヴン・ワインバーグ[1] が『科学の

7

発見』（赤根洋子訳、文藝春秋、2016年）で書いています。原題は「世界の解釈―近代科学の発見(To Explain the World : The Discovery of Modern Science)」、つまり近代科学がどのように生まれてきたかを議論していて、ギリシャ科学は詩（poem）だと言っています。ワインバーグによると、なぜ物理学が一番かというと、そこで見つけた事柄は宇宙のどこへ行っても変わらないという普遍性があるからです。

飯吉　なるほど。つまり森羅万象の一番本質に関わるというんですね。

澤本　化学はそれに次いでいる。そして化学によって、生命がいかに生きているか、つまりメカニズムが分子を通してわかるようになり、分子生物学ができて普遍的になってきたけれども、生物学は科学としての普遍性に欠けるとも書いています。数億年前に隕石が落ちて恐竜が滅びたとか、ある種の偶然に基づいて今の生物学ができている。逆に物理学は普遍的であり、科学の基本分野になる。今日は飯吉先生からそんなお話もお聞きできればいいなと思って来たんです。

飯吉　いやいや今日は私は聞き役に徹しますよ（笑）。

岩間　では最初の方は読者への紹介も兼ねて、私の方から澤本先生のこれまでのご研究について伺っていきますね。まず、高分子化学とはどういった学問なんでしょうか。

澤本　「高分子」というのは、高い分子と書くことからもわかりますように、基本的には、水素の原子の重さを１とすると、その分子量の数千倍とか数万倍、場合によっては百万倍にもなる非常に大きな分子のことを言います。ポリマー（polymer）と呼ばれることも多いんですが、「ポリ」(poly-) というのは「いくつもある」、「マー」(-mer) というのは「部分」ですから、小さな部分が多数連なってできた分子です。例えばエチレンやスチレンという小さな分子（モノマー：monomer）を原料にして、同じ化学反応を何千回と繰り返し、真珠をつなげてネックレスをつくるように長い鎖をつくっていきます。このように、高分子・ポリマーは分子量が大きいことよりも、いくつもの部分をつなぎ合わせてつくった鎖のような分子構造であることが重要です。そのために、高分子が多数集まる

と互いの相互作用が非常に強くなり、プラスチックやゴムができたりするんです。

岩間　エチレンがつなぎ合わさってポリエチレン、プロピレンがつなぎ合わさってポリプロピレンという感じですね。モノやポリといったギリシャ語由来の数の形容は社会科学でも「モノカルチャー」とか「ポリガミー（複数婚）」のように出てきます。

澤本　それから、私たち人間の筋肉や臓器をつくっているたんぱく質や遺伝子もポリマーで、ポリエチレンなどの合成高分子に対して、生体高分子と呼んでいます。ヒトゲノム計画というのがありますが、このゲノム（遺伝情報）では、核酸塩基と呼ばれるアルファベットを4種類組み合わせて、どういうたんぱくをつくるかという暗号をDNAが持っていて、それからたんぱく質が正確につくり出されます。アルファベット26文字を様々に組み合わせ並べて英語の文章を組み立てるように、4文字でいくつもの部分から成る大きな分子をつくると、それが何億という遺伝情報の蓄積を可能にし、生まれてくる人がどんな人になるかといったことをも全部決められる。生命体の中のほとんどの分子がポリマーと言えます。

岩間　澤本先生はその中でも特にどのようなことを研究されてきたのでしょうか。

澤本　人工的に高分子をつくる化学反応を重合（polymerization）と呼びますが、私たちは、高分子がどのように重合でつくられるのかを調べ、さらに思い通りの高分子をつくれる新しい重合をつくり出すことを専門としてきました。モノマーとなる原料をいくつつけるか、どういう順番でつけるか、何をどこにつけるか、またそれによって、どのような性質や働き（機能）が生まれるか、といった研究です。特に、そのための触媒の開発と、新しい機能を持つ機能性高分子の設計と合成を進めてきました。高分子が、大きな塊でなく、いくつもの部分があたかも鎖のようにつながっているために、水あめのように非常に粘りがあるとか、なかなか潰れないとか、軽くて強いとか、それと同時にゴムのように伸びた

り縮んだりするとか、そういういくつもの特性を持たせることができます。また、水を吸収するとか、特別の分子を引きつけ選んで分離するとか、接着剤になるとか、また電気を通して新しい電池をつくれるとか、このような新しい機能を示す高分子を、どのように思い通りに、しかも精密につくるかという研究をしてきました。

岩間　私たちの実生活に恩恵をもたらす部分がたくさんありそうですね。

澤本　工業的に高分子をつくり出す方法はいくつもあり、それらによって、例えばポリエチレンのようなプラスチックは数百万トンつくられています。重さで合計しても、1980年代には、世界におけるプラスチックの全生産量は鉄鋼の全生産量よりも大きくなりました。飛行機も今では炭素繊維の複合材料でつくられるものもあり、炭素繊維の原料もプラスチックの一種です。人間はこれまで宇宙に存在しなかったポリマーをつくり出し、それがいろいろな場面で使われ、今日の健康で快適な生活のために必要不可欠になっています。しかし同時に、海洋プラスチック問題に見られるように、ポリマーの処理または再利用問題も大きな課題になっています。最近になって、「持続可能性」、「循環型経済（サーキュラーエコノミー）」、「持続可能な開発目標（Sustainable Development Goals：SDGs）」「資源安全保障」などの言葉が、政治、経済、報道などで頻繁に登場していますが、高分子についても、今後高分子をいかに「持続的に」つくり、使いこなし、自然や社会と共存させていくかが、学問のみならず、産業界や政治で問われていることは周知のとおりです。

岩間　今の時代を「高分子時代」（polymer age）という呼び方もあるそうですね。

澤本　そうなんです。石器時代とか青銅器時代、鉄器時代のように、人類の歴史をその時代の基幹材料で分類する場合がありますよね。そう考えたときに、20世紀以降は「高分子時代」と呼べるのではないかというんです。

飯吉　それはおもしろいですね。

澤本　石油化学が発展し、われわれはいとも簡単に化石原料を使ってポ

リエチレンやポリスチレンといった様々な高分子材料をたくさん安価につくってきました。服もペットボトルもポリエステルです。最近ではペットボトルを回収し、それをまたペットボトルに再利用するとか、繊維をつくって衣服に加工するとかも試みられていますね。石油資源を使わないようにし、プラスチックを燃やして二酸化炭素を出すのではなく、循環的な生活と産業をつくろうとしていますが、ここにも高分子化学の出番があります。

岩間 高分子化学の世界もこれまでとは違う価値観が生まれてきているのでしょうか。

澤本 キーワードは、何より「持続可能性」でしょうね。さらに「カーボンニュートラル[2]」。「脱炭素」という言葉は使わないようにしようと言っているんですが、ともあれ、大気中に二酸化炭素を増やさずいろいろな物質をどうつくり使っていくのか。例えば、植物由来の原料を使ってポリマーをつくったらどうかというアイデアも出てきています。植物は（今ある）空気中の二酸化炭素を吸収し、糖やセルロースをつくっていますので、それらを原料にしてポリマーをつくる。そうすれば、仮にそのポリマーを燃やしたとしても、植物が吸収した二酸化炭素をもとに戻すだけなので、「ゼロ排出－ゼロエミッション」、「カーボンニュートラル」になるというわけです。

岩間 まさに今の時代に必要とされている技術ですね。

澤本 私どもも、初めはそういうことでなく、欲しいポリマーをいかに美しく思いどおりにつくるかということで、触媒などを使った反応をいろいろ研究し競争してきたわけです。しかし、この先は、つくるところにいろいろ知識を高めてきたのであれば、その知識と経験をもとにして、つくった高分子材料をいかに使い回すのか、また、これまでと違う方法でいかに持続性のある高分子をつくっていくのかを考えなければいけないと思っているところです。

岩間 いろいろな分野にかかわる学問であることを理解できました。本当に私たち現代人の日常生活を支えている科学ですね。飯吉先生の研究

分野では何か高分子化学に関わることはありましたでしょうか。

飯吉 いや、私自身はほとんどないですね。逆にプラズマ[3] は何か澤本先生のご研究と関係ありますか。

澤本 プラズマ物理学では、例えば核融合で絶縁材料などをポリマーでつくりませんか。

飯吉 そうか。そういうのはありますね。

澤本 低温で使う場合には、低温でももろくならないポリマーとか、気のつかない場面でポリマーを使っておられるように思います。その意味で、プラズマ物理学の研究の対象が直接的にポリマーと関係するわけではないかもしれませんが、いろいろな場面でポリマーを使っていただくという形になっているのかと思います。

岩間 先生の研究を事前に勉強していて、「リビング重合」(living polymerization) というものが出てきましたがこれはどういうものですか。

澤本 「リビング」の意味としては、「リビングルーム」のような空間的イメージより、リビングセル（living cell）などといわれるような、「生きている」といったニュアンスです。

　ポリマーをつくる重合反応は、反応中間体と呼ばれる種をつくり、それが次々とモノマーを食べて反応して大きくなっていくんですが、同じ反応を99.99%の確率で1000回繰り返すことは、さいころを振って毎回1を出すような芸当で至難の業です。ポリマーができるということは、極めて高い確率で同じ反応が何千回も起こっているということですが、人間社会でも人が大きく成長していくときに、時々交通事故にあったり病気になったりすることがあるでしょう。それと同じように反応中間体が100個生まれて反応が進んでいっても、それらがすべて最後まで反応し続けるわけではなく、一つ、二つ、三つと時々トラブルを起こすわけですね。これを副反応と言うのですが、ある重合で、高分子をつくり出す反応と共に、どんな副反応が起こっているかを考え、触媒や反応環境に工夫を凝らして、これらの副反応を防いで、高分子が大きく成長していくときに、ほとんど病気にもならず、事故にもあわない重合を「リビング

重合」と言います。広い意味で、これを精密重合（precision polymerization）と呼ぶ場合が多くなっています。

　副反応を防ぐことができれば、あるとき生まれた100人の子供は、病気にならず、交通事故にもあわず、10年後にはちゃんと10歳になっているというわけです。まさに「生きた」重合をつくると予測どおりのポリマーを選択的につくり出す（合成する）ことができます。また、そこに何か機能を入れたいときも、思ったところに思ったものが入れられます。このようなリビング重合や精密重合によって、美しく思いどおりに高分子をつくる反応が生まれるわけです。

岩間　なるほど。リビング重合は副反応が起こりにくい結合方法なんですね。

澤本　その通りです。化学には多くの高選択的反応がありますが、その一つの極端な例がリビング重合、精密重合なのかと思います。

岩間　澤本先生はリビング重合が不可能と言われていた「ラジカル重合」や「カチオン重合」という領域でその方法を開発され、そこが非常に高い評価を得たと伺っています。

澤本　高分子を合成する方法には多くが知られており、大規模に実用化もされていますが、その中で最も重要かつ副反応が起こりやすいと言われていたのがラジカル重合（radical polymerization）です。そのため、1990年代になって、私だけでなくいろいろな研究者が、ラジカル重合でリビング重合を実現する方法を開発するようになりました。その中でも私たちは比較的早い時期に、とりわけこれまでみんなが使わなかった金属の触媒を使おうとしたので、そこを新しいと言っていただいているんじゃないでしょうか。

岩間　発見するまでにどれぐらいの時間がかかったんでしょうか。

澤本　ラジカル重合でリビング重合を開発しようと決めたのは1990年代初めだったと思いますが、実験を始めて2、3年後ぐらいにはきっかけが見つかりました。そう言うといかにも簡単に見つかったようにも聞こえるかもしれませんが、このラジカル精密重合の研究を始める前に、私

たちの研究グループでは、恩師の東村敏延先生の研究室の時代から、カチオン重合（炭素陽イオンを中間体とする重合）での精密重合の研究を十数年続けており、1980年代の中頃に、カチオン重合で世界に先駆けて精密重合を開発していました。とりわけ、カチオン精密重合の金属触媒の開発が進んでいました。

　ラジカル重合の精密化の研究は、これを背景にしたもので、その意味で十分な下準備が整っていたとも言えると思います。これを踏まえて、特に金属触媒を使う点に着目してラジカル重合でも精密さを追求し、最初の例を見つけたわけです。とはいえ、私たちのグループは、それまで、カチオン重合の研究には経験がありましたが、ラジカル重合にはほとんど手をつけていなかったこともあって、本当にそれが精密なリビング重合なのか、本当にラジカル重合なのかなどを検証するには、さらに2、3年ほどかかりました。最初の例を見つけたのは1993年で、実際に学界に報告したのは1995年だったと思いますから、すべてを含めると、2023年の今では、発見から数えて既に30年近く経っていることになります。長く見つけられなかったというよりも、見つかってからどう発展させるかで時間がかかりました。何事もそうですよね。見つかってから、他の人もやったりして様々に可能性が開けるんです。

岩間　その発見はどのように活かされていったのでしょうか。

澤本　われわれのリビングラジカル重合の波及効果としては二つを挙げられます。一つは、この方法でしかつくれないポリマーがいろいろな製品になってゆく産業への効果です。こちらは実際に、世界各地の多くの大学や企業で進展しています。今一つは関連分野の人たちがこの重合を使って応用する学際的波及効果です。私たちの見つけた、金属触媒を使うラジカル精密重合は、ユーザーフレンドリーといいますか、誰もが使える方法であったとよく言われます。例えば、生物学で酵素に別の合成ポリマーをつないで、その酵素の働きを調べる仕事がありますが、われわれの方法を使うと、高分子の合成についてほぼ未経験者でも、1〜2週間も練習すれば、思いどおりのポリマーを処方通りにできるようにな

りました。あのレストランに行かないとあの料理のおいしさは味わえないというような独自性または特殊性も重要ですが、誰にでもできるという普遍性も重要で、とはいえ個人的には若干複雑な心境でした（笑）。

岩間 未経験者が簡単に再現できるんですもんね。

澤本 産業界での応用のみならず、特に生物学や物理学といったところで、いろんな方にこれならこれまで欲しいと思っていたポリマーが自分でもつくれると思っていただけたようで、そういう意味での波及効果が一つ大きかったと言われています。情報サービスの大手企業であるクラリベイト[4]が論文引用の状況を調べたところ、私たちの精密ラジカル重合についての論文は、単に引用回数が多いことにとどまらず、生物学や遺伝学、材料学など関連する他の分野でも盛んに引用されている点に特徴があるようです。

岩間 ちなみに高分子化学の分野での引用は、世界で３位、日本で１位だそうですね。

澤本 かつてはそうでした。

岩間 こういうことから、澤本先生は「金属触媒を用いたリビングラジカル重合の発見と開発」に対して2021年度クラリベイト引用栄誉賞を受賞されました。この賞からはノーベル賞受賞者が多く出ますので、しばしばマスメディアも先生をそのように紹介しています。他分野で引用されているという部分も、汎用性、もしくは科学的普遍性から見てすごく大事なわけですね。

澤本 多分そういうところも大事とされているのかと思います。私は八代亜紀さんを非常に尊敬しているんです。ずっと演歌を歌っていた人ですが、自前の演歌のよさを使いながらジャズも歌え、それが高く評価されています。このように、勇気を持って専門分野を変えてゆくことと、他の分野からも注目してもらえる研究を進められたらとよく思います。私たちの手法も、他の分野の人たちが、興味をもって使うと、大きな障壁なく自分で要求どおりものをつくれる一つの普遍的な方法論ができ、結果的に多方面に応用していただけたのかと思います。

飯吉 核融合が高分子と決定的に違うのは、かなり大きな装置をつくらないといけないことです。プラズマをつくるのに非常に大きなエネルギーが必要なので、どうしても仕掛けが大きくなってしまうんです。僕らはそれをあまりいいこととは思っていないんですが、やむを得ません。

澤本 核融合研究もようやく使った分を超えるエネルギーが出るようになったんですよね。

飯吉 そうです。入れたエネルギーよりちょっと大きいぐらいのものがアウトプットされています。そうなれば実用化にかなり近づきます。新しいエネルギーを社会に役立てないといけませんからね。

澤本 核分裂を利用した原子力発電は二酸化炭素抑制という意味ではいいのかもしれませんが、使用済みウランの処理など、いろいろ問題がありますね。これに対して、核融合発電が実現すると、究極の持続可能な発電になるでしょう。

飯吉 太陽を地上でつくるということですから。中国では核融合装置を「人工太陽」と名付けています。

澤本 重水素か三重水素を燃料とするかと思いますが、その意味でも、個人的にはぜひ核融合発電を実現いただきたいと思っています。高分子も化学もそうですが、持続的にエネルギーを得ながらいろいろなものをつくっていくかが肝心です。

飯吉 核融合のモデルは太陽なので、自然界、宇宙に存在しているものを実現していこうということです。先生の方は必ずしもそうとは限らず、存在しないものをつくっていくという難しさがあるのかと思います。

澤本 確かにポリマーそのものについては、われわれ人類や地球上のすべての生物の体にあるたんぱく質や遺伝子なども全部ポリマーですから、45億年と言われる地球の歴史の中で自然がつくり出してきたものです。しかし、今私たちが使っているポリエチレンやアクリル樹脂のような炭素が鎖になっているポリマーは、天然ゴムを除いてほとんど自然界にはありません。

化学、特に合成化学は自然を凌駕できるのかという話題は、いつも化学の同僚や友人の間の重要な話題です。ポリエチレンはなぜ宇宙でつくられなかったのか。たまたま他にいいものが見つかり、それがそのまま加速されて使われてゆき、ポリエチレンなど使わなくてもよかったということなのか、はたまた、自然界はポリエチレンも試したものの、あまり役に立たず、つくるのも大変だと進化の過程で淘汰したのか。天然物をつくっておられる有機合成の研究者も、ビタミンB₁₂のあの形は、その要素がたまたまよかったのでそれをどんどん使い、他のものを使う必要がなかったのか、それとも、全部試して選ばれたものなのかといった話をよくされます。その辺は、確かにおっしゃるようにおもしろいところではあります。

飯吉　宇宙には存在するんですか。

澤本　恐らくそういう形のポリマーはないと思います。ただ、5年程前ですが、火星に行った探査機が火星の土の成分を分析した結果、ペプチドが分解したと考えられる短い高分子が見つかっています[5]。これは火星にも生物がいたかもしれないという話につながります。しばしば天然高分子と呼ばれるたんぱく質が宇宙に存在する可能性は極めて高いと思います。

飯吉　ペプチドというのは、簡単に言うとどういうものですか。本学の山本尚先生が研究されていますよね。

澤本　アミノ酸という炭素、窒素、酸素から成る小さな分子があり、天然には20種類ほどあります。それらがいくつもつながったものをペプチドと言い、たんぱく質や酵素などがあります。アミノ酸の結合様式をペプチド結合と言い、ペプチド結合がいくつも連なったという意味で、これらはすべて高分子です。生体高分子（バイオポリマー）と呼ぶこともあります。アミノ酸ではなくエチレンというガスをモノマーとするポリエチレンも、ポリマーであることに変わりありませんが、そのつくり方が少し違っていて、いわゆる背骨の構造が違います。

飯吉　太陽系には火星、水星などいろいろな惑星がありますが、その中のどれかに存在しますか。

澤本　今のところもっとも可能性が高いのは火星でしょうね。探査が進み、大昔には恐らく水もあり、湖があって川も流れていたと推測されています。もしそうならかつての地球と同じように、水の中でアミノ酸ができて、ペプチドなどになっている可能性は高いと言われていて、これからも探査が行われます。

　ハロルド・ユーリー[6]とスタンリー・ミラー[7]が、水素、酸素、メタン、アンモニアで原始地球環境をつくって、そこで放電や光を当てたりしてある時間がたつとアミノ酸ができるという実験をしています。世に言う「ユーリー・ミラーの実験」です。地球が45億年前に生まれたことを考えると、同じような反応を何億回、何十億回と繰り返していくと、そのうちリボ核酸、つまりRNAもできるだろうと言われています。DNA、つまりデオキシリボ核酸は遺伝情報を保存する高分子ポリマーですが、この情報はRNAを介してたんぱく質を生成します。こうなると自己複製系は生成されるので、「生命の生誕」になるわけです。

　最近、カタリン・カリコー[8]らによってコロナウィルスに対する「mRNAワクチン」が開発されたこともあり、改めてRNAが注目され始めました。生命の誕生をめぐって原始地球環境でのRNA先行生成仮説も存在し、RNAワールドという言い方もウォルター・ギルバート[9]によって提唱されています。いずれにしても無機の元素から一定の条件下でアミノ酸を生成した事実は極めてインパクトの大きい発見です。ただしポリエチレンのようなポリマーは自然界からは出てきません。

飯吉　複雑だからですか。

澤本　ポリエチレンの構造そのものは、炭素と水素が数多く連なっていて、あまり複雑とは言えないですが、太古の地球の海の中などでは、エチレンを重合する反応は起こりにくかったのだと思います。

▶ 澤本先生の初志

岩間　では、この辺で澤本先生が高分子化学の道に進まれるまでの話を伺いたいのですが、先生は京都のご出身なんですね。

澤本　そうです。京都生まれで、一年ほどアメリカへ行った以外は一度も京都から出ていません。最悪に流動性のない教員です（笑）。

飯吉　京都のどちらですか。

澤本　私は京都駅の少し西で生まれました。父親は高校で簿記や経理の教諭をしていました。家庭環境は完全に文系です。なぜこの道に進んだのかというと、恐らくたまたまのような気もしますが、あえて申し上げるなら、二つか三つの要素があります。

　まず、父親が小学校のころから本をいろいろ買ってくれました。多分学校で知り合いの理科の先生にもお聞きしたのでしょうか、自然科学の本も買ってくれました。そのとき一番印象的だったのが宇宙の図鑑で、そこに描かれた宇宙船などが好きになり、国語より理科の方がおもしろいと思うようになりました。宇宙船や飛行機は今でも趣味の一つで、高校までは自分で模型をつくったりしていました。大学に進むときには、パイロットになるか、化学へ進むかを迷ったこともありました。

　私の通った京都の中学や高校はいわゆる実験校で、そのためもあったのでしょうか、大変熱心な先生がおられました。特に中学で出会った理科の先生から、分子とは何かとか、化学反応とは何かといったことが中高生向きにわかりやすく書かれた米山正信先生の『化学のドレミファ』[10]という本を紹介いただいて、これはおもしろいなと思いました。

飯吉　いい名前の本ですね。

澤本　この本では、夕方、理科の実験室に潜り込んだ小学生の男の子と女の子がドルトンという化学者に出会い、そこでいろいろ化学の話をして、化学への興味を高めていく内容です。

飯吉　「ドルトンの法則」で有名な原子論の父・ジョン・ドルトン[11]から名前を取ったんですね。

澤本　そうでしょうね。この本の中で記憶しているのは次のような話です。例えば、水100ミリリットルに水100ミリリットルを入れると、当然ながら200ミリリットルになる。では、水100ミリリットルにエチルアルコール100ミリリットル入れると何ミリリットルになるかというと、不

思議にも200ミリリットルにはならなくて、それより体積は小さくなります。水とエタノールは相互作用（水素結合）するので、水の分子の間にエタノールの分子が入り込んで、体積が減るわけです。そんな話から、分子とは何か、原子とは何かといったことを説明してゆくのです。それから、何よりも理科の先生の授業がおもしろかった。大学に進むとき、私の入っていた理科クラブの先生が一番新しい分野は高分子ではないかとおっしゃり、先輩の影響もあって、私も京都大学工学部の高分子化学科に入ることにしました。当時の京大工学部の化学系学科には有機化学も物理化学もあったんです。

岩間　その時代、高分子というのは新しくて魅力的な学問だったのでしょうか。

澤本　60年代から合成高分子がどんどん開発され、石油化学産業が飛躍的に発展しました。特に日本の繊維産業が発展し、何百万トンとつくる量産技術も確立しました。高度経済成長によって日本の社会が強く豊かになっていく時期でした。ポリエチレンとポリプロピレンを精密に製造する画期的な方法を見つけたカール・チーグラー[12]とジュリオ・ナッタ[13]が少し前に1963年のノーベル化学賞を受賞しました。高分子化学が学問として新しく、これから発展しようとしている状況を見て興味を覚え、私もそちらへ進むことにしました。高校の化学の先生は、とても熱心で進んだ授業をされ、その先生方の助言もありました。

飯吉　先生はどなたですか。

澤本　京都大学では恩師に当たる東村敏延先生と出会い、高分子を合成する分野へ行ってみる気になりました。よくあることでしょうが、こういうときこれをしてみたいと思ったからそうしたとかいうことではなくて、徐々にそういう方向に流れていったという感じです。高校から大学へ行くころ、宮崎にある航空大学校に行ってパイロットになる道も魅力的でちょっとだけ悩みました。ただあのころは裸眼視力がよくないとパイロットになれなかったので、京都大学へ行けるのなら高分子化学を専攻すると決めました。

飯吉　パイロットと化学者の共通点があったと思われますか。

澤本　あえて言うと、ある種の美しさみたいなところかなと思います。もちろんアメリカの曲技飛行隊ブルー・エンジェルスや宇宙探検を題材としたテレビドラマの影響もありましたが、飛行機は格好いいし美しい。それから、化学では、父に勧められた『物質の変化』（実野恒久著、保育社、1961年）という本などを読んで、化学はおもしろくて美しいなという感覚があったような気がします。私たちの身の回りの物質が原子や分子からできていて、それらの分子が美しい結晶となったり、溶液がいろいろな色をしていて、それらが不思議に変化する（反応する）ことなどを知って、興味を持ったのだと思います。

　余談ですが、1965年にノーベル化学賞をもらった有機合成の天才と言われるロバート・バーンズ・ウッドワード[14]という有機化学者も、飛び級で大学に入るとき、数学もよくできて、そちらにも興味があったそうです。彼は、化学と数学はどちらも美しいけれども、数式の美しさより結晶の色だとか反応の美しさの方がより魅力的だということで化学を選んだと書いています。ウッドワードは娘さんにクリスタルという名前をつけたぐらいです。私はそれほど極端ではありませんが、ある種の美しさには魅了されたように思います。好きこそものの上手なれかもしれませんけれども、このように反応してこれができるという分子式を書き、実際にやってみたらそのとおりにできたとかいうこともおもしろかった。

岩間　先生は日本化学会のウェブサイト「化学だいすきクラブ」[15]に書かれた「私と化学」と題するエッセイで、「ケミカルガーデン」を例示して「美しさ」を強調されておられました。産業的実用性もさることながら、「美しさ」も先生の学問の基本的モチベーションになっているんですね。

　1974年に大学に入られ、そこから大学院以降もずっと京都大学でご研究されていますね。

澤本　そうです。

岩間　飯吉先生もその頃に京都大学で教えていらっしゃいましたね。

澤本　私の弟が飯吉先生にお教えをいただいています。弟は大学で電気

工学に進んだのですが、学部の4回生のころ、当時京都の宇治にあった
ヘリオトロン核融合研究センターで一時期お世話になったみたいです。

飯吉 奇遇ですね。大変光栄です。

澤本 あのころ化学系の学科の学生は、多くが大学院の修士課程に進む
という状況でした。ただ、私は文系の家で育ったこともあって、てっき
り4回生で就職するものと思っていたんです。ところが、3回生になる
と、急に同級生がそろそろ院の入試がどうこうと言い出しました。4回生
の夏に院の入試があるので、みんな3回生から勉強し始めるんですが、
そのときようやく大学院進学を意識したような状態でした。

岩間 もともと京都大学は高分子化学の分野で有名だったのでしょうか。

澤本 京都大学工学部や理学部には、有機化学、無機化学をはじめとし
て、化学のほとんどの分野の学科があって、それぞれの学科や専攻で国際
的に評価の高い研究室が数多くありますが、高分子化学科にも、日本の
高分子化学の父と呼ばれる櫻田一郎先生がおられ、前身である繊維化学
科を創設されました。櫻田先生は、様々な先駆的研究をされましたが、
特に、日本で発明され実用化された合成繊維である「ビニロン」をつく
られた方として有名かと思います。私が入学したころにも世界的に著名
な重鎮が何人もおられました。

　古川安先生の『化学者たちの京都学派　喜多源逸と日本の化学』（京都
大学学術出版会、2017年）という化学史の本がありますが、この本の中で
は、なぜ京都大学に基礎的な工学部系の学科ができたかということをは
じめ、高分子化学の櫻田研究室がどうなっていったのかも書いておられ
ます。また福井謙一先生の研究グループがノーベル賞を受賞した研究の
経緯についても触れておられます。工学部でありながら基礎をしっかり
やろうという風潮があって、先端研究と基礎研究が刺激しあい、それが
結果的に基礎や応用、理論や合成といった枠を超えた創意工夫を生み出
したと思います。私が入ったころにはもう高分子化学科には7の研究室
があり、それぞれの分野の方々が重鎮になっておられました。その中の
高分子合成の研究室（東村研究室）を志望しました。

飯吉　京都大学の宇治キャンパスに化学研究所がありますよね。あそこでもやっておられたんですか。

澤本　そうです。あそこにも三つほど協力講座というのができていました。あのころは産学連携の蜜月の時代で、櫻田一郎先生と企業との共同実験工場をはじめとして化学研究所の中に高分子化学と直接的に関係する研究室が三つあり、そこでは、いろいろ別の流れの研究もされていたのかと思います。

▶ 高分子化学のおもしろさ

岩間　高分子化学のおもしろさはどういうところにあると思われますか。

澤本　これは高分子化学に限ったことではないのかもしれませんが、私自身、初めのころは、自分で実験すると本当にある物質ができるというところに一つおもしろさを感じていました。仮説を立てて反応式を書き、それに基づいて速度論的解析をしていくと、確かに結果が得られるんですね。今から思うと実にささいなことではありますが、よく考えてやれば、自分でも何がなぜ起こっているかなどが理解できると思えたことです。でも何より、やはり高分子をつくっていくのがおもしろいということに尽きるんじゃないでしょうか。その先で何に使えるのかということもありますけれども、しかし、精密合成でいかにものをつくり出すかというところ自体がおもしろいと思います。

岩間　確かに、新しい物質を生み出すというのはすごいことですね。

澤本　ちなみに、飯吉先生には失礼かもしれませんが、物理学と生物学は発見の科学、ディスカバリーサイエンスと呼ばれる場合があります。仮に物理学でこれから一億年後、百億年後に宇宙がどうなるかを明らかにできたとしても、恐らくその宇宙の行く先を物理学で変化させることはできないでしょう。できないというか、その必要もないのかもしれません。唯一、化学だけが、百何十とある元素の中からまだ宇宙や自然が試していない組み合わせで新しい分子や物質を創造できるわけです。そういう意味で創造の科学、クリエイティブサイエンスと呼べるかと思い

ます。

飯吉　それはおもしろいですね。確かにそういう違いがあります。物理ではそういうことはできません。

澤本　これは前にも、先生と最初にお話しさせていただいた時に、ご紹介したかもしれませんけれども、化学はそろそろ終わったのではないかと言われ始めたころに、化学者を励ますようなエッセイが『ネイチャー』に載っています。フィリップ・ボール[16]が書いた Chemistry: What Chemists Want to Know? (*Nature*, August, 2006) です。求められれば、化学はほとんどすべての物質や化合物を合成して提供できるようになり、化学が新しい反応を見つけ、まだ知られていない物質をつくり出す時代はもはや終わりかけており、化学はいわゆる「出前の科学」(catering science) になりつつあるのではないかと言われてはいるが、そうは言っても、化学にはまだいろいろすべきことがあり、とりわけ重要なのは、宇宙が138億年で百種類を超える元素のすべての順列組み合わせを試したのかという点にある。恐らく宇宙はまだ全部を試していない。それは、たまたま試す必要がなかったためだろうと。

飯吉　宇宙は試したんじゃありませんか。

澤本　『ネイチャー』のエッセイには、How can we explore all the possible permutations of all the elements? (すべての元素の可能性のあるすべての配列を探究するにはどうしたらいいか) と書いてありますが、宇宙はすべてを試していない可能性があり、それを試すことができるのが化学なのかもしれません。ある種の激励のように思います。

飯吉　そうした課題には物理学には応えられません。

澤本　原則的に物理学は、物（もの）の理（ことわり）を明らかにする学問です。それは、人類がいかに宇宙で生まれ、人類とは何か、人類は遠い未来にどのように進化あるいは変化していくのだろう、そしてこの広大な宇宙の中で人類は知性を得たただ一つの生命体なのだろうか、などという哲学的ともいえる究極の疑問に答える意味で、科学の最も重要な分野の一つであると思います。その一方で、勝手かもしれませんが、こ

れらの疑問に答えたとしても、おそらく、この宇宙の行く末を何らかの形で変えることはできないように思います。一方、化学は、ミクロのスケールで元素の組み合わせを自在に操ることによって、これまでになかったものをつくり出す可能性を秘めているわけです。

飯吉 そこが大事なところですね。ところで火星で何か有機物が見つかっていますね。

澤本 最近、探査機 Curiosity が火星の表面の土を調べて、たんぱく質のフラグメント（断片）と思われる物質が見つかったとされています。現在の火星は水がなくなっているんですが、南極の極冠や地層の下には、まだ液体や氷の状態で水があると推測され、探査衛星で空の上からくまなく調べた結果では、かつて火星が乾き上がる前には川も湖もあったことは確実なんです。それで、もしかしたら生物の痕跡があるんじゃないかと言われています。同時に、はやぶさなどで探した小惑星の土の中にも有機分子が含まれていたそうです。

　このため、先ほどお話しした原始地球における生命の誕生仮説なんですが、生物は本当に太古の地球で生まれたのかも疑問視されています。一つの有力な仮説は、宇宙のどこかでできた生物のかけら（炭素や窒素などからなる有機分子）が隕石の中に入って地球に降り立ち、それが生命体に進化したのではないかという見解です。いずれの仮説にせよ、生命の誕生には、たんぱく質や遺伝子といった高分子・ポリマーが必要で重要なんだろうと思っています。

飯吉 自然界の高分子で生物に一番近い状態で見つかったものとしては何があるんですか。

澤本 むしろ高分子がなかったら生物はできていなかったと思います。オパーリン[17] の『生命の起源』[18] でも、一番初めに水、二酸化炭素、窒素があり、その中でいろいろな反応が起こってアミノ酸ができ、核酸ができて、それがたまたま岩の上に張りついて触媒反応でポリマーになり、そのポリマーがいつの間にか遺伝子になってたんぱく質をつくり、それが岩の上、あるいは水の中のミセルで細胞を生成し、細胞が大きく

なって生物になったとされています。初めに低分子があって、その後、何らかの形で遺伝子のようなものができ、それがたんぱく質の工場をつくり、しかも自分で自分自身を再生する能力を持つようになった、と考えられています。

飯吉 物理にはそれがないんです。現象はあるのかもしれませんが、物理の元素からはシンプルなものしかできません。やはり複雑性が大事なんでしょうね。

澤本 ただ、現在の素粒子学は、また逆の意味でちょっと私どもの理解を超えるところがありますね。私たちはせいぜい陽子、電子、中間子、中性子で、核の状況や外回りの電子の状況で反応を操っているわけですが、実は陽子と中性子から成る原子核の中に素粒子が詰まっているわけでしょう。プラス同士は反発し合うのに、なぜ鉄の原子核では50個を超える電子が一緒になっているのかを明らかにされたのが湯川秀樹先生の中間子の理論だと思います。ところが中間子どころでなく、素粒子は17以上の種類があるとかおっしゃっているわけです。同時に、物質の生成にはエネルギーが関係すると思いますが、エネルギーはちょっとわれわれの範疇ではありません。いわゆるパリティ対称性の破れ[19]についても、エネルギーを抜きにして説明できないはずです。あえて化学の立場に立つと、確かにものをつくるというのは、反応という意味ではちょっとスケールが何乗か違っています。

岩間 澤本先生の今のご関心はどういったところにあるんでしょうか。

澤本 今はもう好むと好まざるとにかかわらず「持続可能性」です。高分子の立場に立てば、環境ないしカーボンニュートラルの実現を考慮しながら、再生可能な高分子など、いかにわれわれの生活に必要な高分子や材料をつくっていくかという課題です。これからは、単に石油からポリマーをつくって燃やして終わりではなく、リサイクルしたり、できるだけ石油以外からポリマーをつくり、コンポストを含めてそれを分解したり、あるいは、もう一度原料に戻して、そこから新しいポリマーをつくったり、持続性のある高分子材料をつくっていくことが最も重要で社

会からも求められています。国連が提案している「持続可能な開発目標」（SDGs）に通じる課題であり挑戦です。

　例えば、これまでは捨てられていたオレンジの皮や松ヤニやサトウキビの搾りかすなどからエチレンにかわるモノマーをつくることができるようになろうとしています。さらに、今までは石油や天然ガスを燃やして来ましたが、それを持続可能なエネルギーに代替していくわけです。風力発電や核融合などによって、化石資源以外を用い、二酸化炭素を増やさないようにして電気をつくり、電気で水を分解して水素をつくり、水素からエネルギーを得ると同時に、植物などいわゆる再生可能な資源から材料の原料（モノマーなど）をつくります。また、食料にはならない（非可食の）セルロースなどから発酵作用を使って原料のモノマーをつくることができれば、持続可能な世界の実現に通じるかと思います。そして、これらの基本となる原料（出発物質）が持続可能な方法で得られれば、あとはもう反応プロセスは確立しているので、持続可能なプラスチックないしポリマーは理論的には可能です。私自身で研究を進めることはなかなかできませんが、後輩がいろいろなことをしております。

岩間　中部大学ではどんな研究をされているのでしょうか。

澤本　残念ながら、研究室を持つことはできていませんが、講義などを通じて次の世代の育成に努めているつもりです。同時に、後輩をはじめ全世界の方々と一緒に研究プロジェクトをつくったり、若手の方々をうまく育てたりしていければと思っています。また、私は日本化学会や科学技術振興機構にも関与させていただいておりますので、そういうところで皆さんと議論を重ねられればとも考えます。例えば、研究課題として考えているのは次のようなテーマです。何に使えるといった話ではないんですが、生体内にペプチド型のポリマーはあるのに、ポリエチレン系の炭素が連なる形のポリマーが全くないのはなぜか。炭素が連なるポリマーに遺伝情報を組み込むことも不可能ではないとすると、実際にわれわれの方法でつくったらどうなるか。現在まで人工的にAAA、BBBぐらいのモノマーの並び方でしか高分子はできていないのですが、天然物

27

ではABCD……というふうに、例えばたんぱく質は24種類のアミノ酸をアルファベットのように、決まった並び方（連鎖）で結合して実に複雑な文章（たんぱく質）を精密につくり、またその並べ方の情報を遺伝子を通じて子孫に伝達しています。同じようにリビング重合を使って、モノマーをアルファベットとして、新しい文章にあたる新たな高分子（並び方の決まった分子―連鎖制御高分子）をつくり、これらが生命の中の高分子とどういう違いがあるのかがわかれば、なぜ宇宙にポリエチレンがないのかという謎も解明できる可能性があります。

岩間　すごくおもしろいですね。

▶日本のサイエンスはなぜ弱体化したか

岩間　では、サイエンスの未来という話題に入って行きたいと思います。これについては両先生ともいろいろ語りたいことがあると思いますが、まず澤本先生はどう考えていらっしゃいますか。

澤本　「理系離れ」ということがよく言われています。日本における状況と世界における状況の違いもいろいろあるとは思いますが、日本では理系に行く人が少なくなり、物理学や化学などの自然科学分野の研究力が下がってきているとよく言われます。人口減少もありますが、理系の研究者になるより医者か弁護士か銀行員になった方がいいと思う人たちが随分多いのでしょう。注目される重要論文 (top 1% high-impact papers) の数も、これまでの米国に加えて中国等の国々と比べると開きは明確で、研究経費はそれなりに徐々に増えておりますけれども、論文の数はなぜか日本だけがあまり増えていないように見えます。独創的で先進的な優れた研究を続けておられる日本の研究者や技術者の方も少なくないようには思いますが、現状は「存在感の低下」と言わざるを得ないようです。

飯吉　いったいどうしてこうなったのでしょうか。

澤本　例えば中国では圧倒的に人口が多いことに加えて、先端分野にかなり力も研究費も重点的に注いでいます。片や日本では大学が大学法人化されたりして雑用が多くなったという意見もありますが、これはわれ

われの言い訳かもしれません。世界で一流の研究をされ、非常に独創的な優れた論文をよく出している方も随分おられますから、個人的には、本当の理由はよくわかりません。とはいえ、日本発の重要な論文の数は、総体として統計的に少なくなっているのは紛れもない事実で、文部科学省もJST（Japan Science and Technology Agency：国立研究開発法人科学技術振興機構）も日本化学会も、なぜだろうと考えているところです。

飯吉　先生としてはどう考えていますか。

澤本　本当の理由は、はっきり言って良くわかりませんが、一つに自然科学の分野で大学院博士課程に行く人が少なくなり、次の世代の育成が進んでいないのが一つの原因かもしれません。

飯吉　そんなところかもしれませんね。

澤本　世界最先端の科学や工学を日本に導入し、日本で工場をつくって大きな産業に育てるという時代はとっくに終わり、日本独自の技術と科学をつくり出して世界に進出する局面になってもう何十年にもなっています。最初の導入と改良の段階ではもちろん修士の人も学部の人も重要ですが、より主導的に先端的なことを担っていく指導的な研究者や技術者は、博士課程で育成するのが重要かと思います。

　これまで企業からも、修士の人の方が、ずっと伸びしろもあるし使い勝手もよく、人間性としても協調性があるとされてきました。それもあって、大学院生は博士課程に行かず、企業も採用せず、それゆえ大学院も定員を満たすことができないという負のスパイラルになっていると今も指摘されています。企業に行ってもやはり博士はすごいねと言われるような主導的な研究のできる人を育て上げ、企業の採用が増え、結果として産学で日本の研究力がより強くなるという正のスパイラルの方向をつくり出そうと言われて久しいところです。今でも博士課程の修了者の8割以上も企業に就職するのです。2023年度の日本化学会の年次大会でも、理系人材育成を進めるためにといったシンポジウムをすることになっています。

飯吉　重要なテーマですよね。

澤本　論文引用の数値は、トップ１％の優れた論文の数で順位をつける
わけですが、化学の分野では、昔はアメリカ、日本、ドイツという順だっ
たのかと思います。それがいつの間にか、アメリカ、中国となり、日本
はかなり下になってしまいました。いわゆる理系離れによって研究者・
技術者の裾野が低くなっている事態も続くと、やがて頂上部分も小高い
丘になってしまうと危惧します。

　産学の連携に関しては、中部大学には「幸友会」という大きな組織が
ありますね。参加企業を見ると、地場産業も含めて、驚くべき数のいろ
いろな規模の会社がリストに挙がっています。理系でも、中部大学では
99％を超える圧倒的大多数の学部生の皆さんがしかるべき企業に就職で
きていることからも、産学連携が非常にうまくいっています。

飯吉　幸友会は中部大学と地元の企業でつくられた組織で、ものすごく
本学を応援していただいています。学園創立者三浦幸平の名前からとっ
て「幸友会」なんです。

澤本　日本全体として見ると、産業界もようやく今年はある程度のベー
スアップ（基本給引き上げ）が実現しつつあるものの、なぜか内部留保が
多くてうまく進まないですね。かつては奇跡の戦後復興などが戦後の日
本で起こったわけですが、これからはどうなるのでしょうか。今では出
世しなくていいと言う若い人も多いようですね。岩間先生はその辺よく
見ておられるかもしれませんが、どうですか。

岩間　そうですね、頑張っても出世できなかったり、思っていることが
実現しなかったりして、諦めてしまっているのではないですか。

澤本　いや、そればかりでもないみたいですよ。昔は、仕事が一番、そ
の次が自分の余暇であり、むしろ家庭を全く顧みないモーレツ社員が多
かったわけですが、最近の調査によると、６割ぐらいの人が自分の時間
を大切にしたい、残業もそんなに必要ないようにしたいと思っているん
だそうです。もちろん極端な両極分解も生じ、グローバルなモーレツ社
員が出てきたことも一方では見られます。

岩間　それはあります。むしろかつての働き方が自分の時間や家族との

時間を持てなさ過ぎたのだと思います。高度成長時代風のモーレツ社員のような働き方は若い世代にあまり魅力ではないようですね。

澤本 今は生活を充実させたいというわけですか。

岩間 はい。若い世代は男性も女性も家事や育児を分担していますし、幸せの価値観が変化してきています。国際基準に近づきつつあるのではないでしょうか。

澤本 私たちの世代ですと、コロナ禍も相俟って、今多くの研究者が完全に退職してずっと家にいたりするわけですが、「最も優れた暇潰しが仕事であることに気づいた」とおっしゃる方もいて（笑）。それは言い得て妙かもしれないと思ったところです。

飯吉 本当ですね。言われてみれば、そんな気もします。

　分野でいうと、日本人のキャラクターや能力を含めて、特に日本人に得意なところというのがあるのでしょうか。

澤本 ものづくりということは言われますよね。しかし、ものづくりのみならず、ITなどについてもそれぞれ有能な方はいると思います。

　ただ、日本はもう何千年も前から導入と改良の歴史で来たわけです。儒学や仏教など優れた文化がアジアにあって、中国大陸から朝鮮半島を経て伝わり、それに伴っていろいろな匠が入ってきて、日本的に改良して精巧にしてきました。その後、明治になって西欧近代の産業が入り、国家機構や軍隊もイギリスやドイツからすでにできあがっていたシステムを導入し日本的に改良した結果、より優れたものとなったわけです。古いものを継承するだけでなく融合させ「和」をつくり出してきたわけです。

飯吉 その通りですね。

澤本 自然科学については、物理学も含めて今の枠組みができたころ、つまり17〜18世紀の徳川時代に日本は鎖国をしていました。日本にも和算などが若干あったにもかかわらず、学問として広く発展はしませんでした。したがって科学的な演繹・帰納の手続きに基づく方法論、学位制度や学会組織など、近代科学の進め方がすべて時差を伴って西欧から

入ってきました。それが制度的に優れていたばっかりに、完膚なきまで
に導入できたわけです。過去の科学の遺産から考えても、模倣と改良に
よる発展という流れで来た日本に本当にゼロからつくり出す機運が出て
くるのだろうかと思ってしまいます。日本人らしさとは何なのかという
と、いい意味では自然との共生といったことでしょうか。自然は外にあ
る対象というのが西欧の考え方とするなら、日本は、受動的かもしれま
せんが、自然とうまくやっているので、共生や持続性とつながっていく
といいのかもしれません。資源がなく、難しいところではありますけれ
ども、そんな感じはします。

飯吉 そういった日本人らしさを活かしていくためには、何をしていっ
たらいいでしょうか。

澤本 とにかく、優れた人材をうまく育て上げていくことが重要です。
野球などスポーツ界は組織的に意欲的に、次の世代を担う人材を発掘し
育てています。そこには夢もある。1億円プレーヤーになれるのは一部
の人で、0.0何％の確率であるにもかかわらず、そういう夢を見せつつ育
てています。科学でもある種のスカウティング（能動的な人事発掘）が重
要なのかなと最近思ったりしています。失礼ながら、アメリカは本当に
幸運な国で、夢があるので、放っておいても外からいろいろな人が入っ
てきては流れ出ていくわけです。常に外から新しい人が入ってきて、し
かも成功できる世界になっています。そういう意味ではイギリスやドイ
ツなど西欧とも違う特殊な国です。日本は、いい意味でもいまだに閉ざ
されているところがあります。その中でいかに優れた人を育てていくの
かということです。

飯吉 そういう意味では、どちらに似ているんですか。

澤本 日本は圧倒的に西欧でしょうね。これからどういう国をモデルに
していったらいいのかとよく言われますが、人口が減り、成熟し、その
中で協調していく世界として、歴史的には、戦争に2回負けながらも復
興し、今や圧倒的経済力を持つドイツが最も近いように見えます。片や
イギリスは、かつて植民地時代にはすばらしい力を持っていたのに、そ

のうち衰退するもある種の余裕を持って安定化しています。社会保障が非常に進んだ北欧の国々などもありますが、私の見る限り、日本は心情的にドイツやイギリスにより近いのかなと思っています。

飯吉 かなりの人は、今なおアメリカ型の世界を標準に考えています。

澤本 アメリカは常にお湯がお風呂に供給され、あふれ出ているような世界です。それに対して日本は、いつも温かいお湯が湯船に入ってくるような状況ではなく、いかにお湯を沸かしつつレベルを保つかみたいな世界です。最近移民についてよく言われますが、教育も含めて、海外の人たちも入ってくる中で日本はどう発展していくのか、皆さんとよく考えていけたらと思います。

　最近では、いわゆる「10兆円ファンド」（基金）の運用益で1、2の「卓越大学」を支援・強化する選択と集中の政策も重要ですが、同時に、幅広く研究・教育を下支えする努力を地道に忍耐強く続けていくことも大切かと思います。

飯吉 日本の教育に一番欠けているところは何でしょうか。

澤本 今いろいろと教育改革がなされているわけですよね。入学試験の問題にしても、かつての知識偏重型から思考力重視型にしましょうとかです。それは確かにそうだと思いますが、むしろいかに好奇心を保たせるかが重要なんじゃないでしょうか。

飯吉 それは、やはり小さいころからの教育でしょうか。

澤本 そうですね。しかし、いまだに教育改革は難しいですよね。育つ子は育っていくとは思いますけれども、育ちかけの子供には、より個性も尊重しつつ、何かおもしろいなと思ってくれるようなきっかけを与えないといけません。私もそうであったように、おもしろいなとか、ちょっとやれば自分にもできるかもしれないとか、そう思うきっかけがあれば、あとはどんどん興味を保ってくれるんじゃないでしょうか。日本の独自な感覚をどのように創造的な科学に結びつけるか、これについては一般的展望をさきほどお話ししましたが、具体的方策については私の力量を超えます。どういうきっかけを与えたらいいのでしょうか。

飯吉　僕は以前アメリカのプリンストンにいて、家内とポコノマウンテンへ紅葉を見に行ったり桜を楽しんだりしたものですが、そういう話をしても、アメリカ人には「もののあわれ」[20]がわからないようでした。第一、英語には「もののあわれ」に相当する単語がありませんからね。いろいろな人に聞いたんですが、きょとんとしていました。どうもその辺のところなのかなと。

澤本　そうですね。日本人はなぜ桜が好きなのかとよく聞かれます。桜は一瞬にして咲き、しかも潔く散っていくので、そこがもののあわれと言われているように思います。私自身は、京都に生まれてずっとそこで育ったこともあって、あまり感じないものの、京都におりますと、伝統的な食や産業や考え方がいろいろあるので、自然の中で自然とともに生きていくという意味で日本のよさみたいなものは感じます。

飯吉　ちょっと表現が難しいんですが、京都にはそういうものがありますよね。あれをもっと日本全体に広げられるといいのに、京都に特化してローカライズされてしまっています。京都の人には、それはもう説明しなくてもわかる。

澤本　「わびさび」というのもよく言われますね。「もののあわれ」とはちょっと違うところかと思いますけれども。個人的には、あまり潔く散りたくはないと思っています（笑）。

飯吉　湯川先生も福井先生も、ノーベル賞を取った京都の人には何か共通したものがありませんか。

澤本　よく言えば個性の尊重というか、ちょっと変わっていても大丈夫という雰囲気がありますね。先ほどの基礎的な事柄を重要視する京都学派というのも、東京と比較して、中央の官僚の世界で政府と直結するとか、堅実な社会組織の中で競争力を保つとかいうものとはちょっと違うところがあるとよく言われます。より広い視野で見る、個性や独自性を尊重するといった部分を強調することと、異端者を排除しがちな日本人らしさの特性とどう折り合いをつけるか、これが知を創造する営みにおいて重要な気がいたします。

▶理工学の理念

岩間　飯吉先生、このたび中部大学に理工学部ができましたが、ここではどういったところを目指していくんでしょうか。

飯吉　僕が考えているのはサイエンスの融合です。さっき京都大学の高分子化学専攻が基礎科学と先端科学の往来を重視し、結果的には枠にとらわれない新しい知を創造したと澤本先生は話されました。あえていうと私の思いはそれに近い。サイエンスの初志を学び先端研究にも接する中から新しく中部大学らしいものができてくることを期待しています。先生方もある程度そこを意識されているんじゃないでしょうか。

澤本　確かにそうだと思います。これまでの工学部に加えて理工学部を新しくつくられたわけで、理工学部に College of Science and Engineering という英語を当てておられますが、Science と Engineering が and で結ばれているところが重要で、理工学というのは、理学と工学の融合を狙っておられるように思います。

　近年は文科省が「総合知」という言葉も使い始め、例えば、持続可能な材料設計のために、社会科学や環境学を専門とする方々も含めるというプロジェクトも立ち上げられています。その意味でも、飯吉先生の言われた「サイエンスの融合」は、大学でも重要かと思います。

　大学の1、2年次における教育をどうするかという話もありますね。いわゆるリベラルアーツ（一般教養）と呼ばれるものですが、私も飯吉先生も、1、2回生で哲学、法学、西洋史、東洋史などからいくつか取らなければいけませんでしたよね。

飯吉　必修でしたね。

澤本　語学は別として、そういう分野について、やはりそれなりにしっかりした素地をつくることも大切です。湯川秀樹先生も子ども時代から祖父の漢学者・小川駒橘について『論語』をはじめとする漢籍の素読をしておられました。これはずっと後年まで繰り返し再読されていたとよく書かれています。それが文章力や表現力になり、その先で物理学の理解の助けになったのかもしれませんね。

岩間　2020年に亡くなった科学史研究者の佐々木力先生が中部大学高等研究所におられた時期、科学論や科学史についていろいろ教えていただきました。初期仏教の考え方と相対性原理の発想は似ているとか、老荘思想は近代科学の分節化原理を相対化する視点を持っているとかです。佐々木先生のプリンストン大学での指導教官はトーマス・クーン[21]で、クーンはそうした近代科学は徐々に形成されたのでなくコペルニクスあたりで突如「パラダイム（paradigm：知の枠組み）の転換」が生起し、それまでのサイエンスとは説明原理が不連続になったと捉えられていると教えていただきました。

飯吉　私も『荘子』を愛読しています。佐々木先生は早くお亡くなりになったのですね。

岩間　そうなんです。

　ところで最近、文科省は理系の学部・学科重視を強めていますね。

澤本　それは理系の研究や教育が世界的に見てとても弱くなってきたからだと思います。

岩間　弱くなってきたから逆に重点化を始めたということなんですね。

澤本　電子産業に象徴されるように、かつて日本がトップだった集積回路やコンピューターや液晶パネルなどがいつの間にか弱くなってしまいました。政府の助成金もなくなり技術が流出したことなどで、他の国々が追いついてきたわけです。今や太陽電池パネルなども全部そうです。今はそこを重点的にやろうということになっているのかと思います。

岩間　理系研究の弱体化、ひいては日本の産業が弱くなってきたから理系重視を政策的に促進するというわけですね。

澤本　確実にそうだと思います。研究力については、影響力のあるトップ１％の論文の数や大学評価のランク付けなど評価の基準はいろいろありますけれども、常に入っているアメリカは別として、中国の台頭が著しいですよね。核融合でも、四川省のトカマク型[22]核融合エネルギー実験装置が高温プラズマの維持最長記録を目下更新中で、世界のトップに躍り出ましたね。

飯吉　とにかく、中国はやる気を出したら一気呵成です。彼らはプラクティカルですから、すぐ実用化できるかどうかを非常に重要視するんでしょうね。日本人には、中国人に比べると、哲学的なことも含めて、もっと豊かな学問、研究をしたいという願望があるんじゃないでしょうか。

澤本　日本人はそうですね。核融合も、必要な人を集めて、しかも集中的に予算を割り当てることができるとするなら、世界最先端となるのも時間の問題かもしれません。

飯吉　核融合の話をたくさんしていただいて僕はうれしいんですが、中部大学ではミュオン理工学研究センターというものをつくってミュオン核融合の研究を進めているんです。宇宙から地上に降り注ぐミュオンをわれわれもしょっちゅう受けているわけですが、それを使って核融合を起こそうというものです。

岩間　ミュオンというのはどういったものなんでしょうか。

飯吉　ミュオンは素粒子の一つで、荷電レプトンに分類されます。ちなみに電子も荷電レプトンに分類される素粒子です。1930年代後半にカール・アンダーソン[23]とセス・ネッダーマイヤー[24]が宇宙線の中から発見しました。宇宙線というのは宇宙空間にある高エネルギーの放射線のことです。

澤本　ミュオン核融合はこれまでの方法とは全く違うんですか。

飯吉　違いますね。要するに、重水素とトリチウム（三重水素）を反応させるところは同じなんですが、水素を構成する電子をミュオンに置き換えるのです。ミュオンは質量が電子の200倍あります。二つの物質の間はそれらの質量に比例した万有引力が働くので、お互いがくっついて核融合を起こしやすくなります。それから従来の核融合では重水素とトリチウムを近づけて融合させるとき、同じ正の電荷同士なので反発しあいます。ここに負の電荷を持つ負ミュオンを導入することで反発が消えて、くっつきやすくなるんです。この反発したりくっついたりする力をクーロン力と言いますが、万有引力とクーロン力の両方の力をうまく利用して核融合を起こそうというのがミュオン触媒核融合です。

澤本　では、強力なプラズマよりも、もうちょっとうまくできるかもしれない。

飯吉　そうです。

澤本　それはぜひやっていただかないといけません。そういえば、今ヨーロッパで日本も参加している核融合研究プロジェクトがありますよね。

飯吉　あれは無駄なお金が掛かっています。図体ばかり大きくて、要するに巨大装置で、先生のおっしゃった ITER[25] は、中部大学で理事をやってくれている本島修先生がかつて所長をし、今もフランスで世界各国が協力してやっているものですが、すごい巨大科学です。核融合はもっとコンパクトにできないと大変です。

澤本　あれをずっと持続的にやるのは恐らく大変でしょうね。

飯吉　そうです。あれはあれで確かにかなりのプラズマができるんですが、金がかかりすぎて実用化されるとはちょっと思えませんね。

澤本　ぜひミュオン核融合を進めてください。理工学に求められる目標の一つは、やはりエネルギーなんでしょうね。あと、今JSTをはじめ文科省でもいろいろ言われているのは食べ物です。食料に関しては、肥料や作物の改良という面で化学と随分関係しているところがあります。

　『日本沈没』や『復活の日』という作品で改めて注目されている小松左京という作家をご存じかと思いますが、その小松左京は『復活の日』のなかで、人類は、自らの代謝でエネルギーを得ることを超えて、身の回り（外界）の資源から（たき火に始まり石油を燃やすなどして）余分のエネルギーをつくり出すことを（微生物やカビは別として）地球上で初めて実現した生命体と書いています。その一方で、余分のエネルギーがなくても、寒さをしのぶなどして不便のなかで生き延びることは可能かもしれませんが、食べ物がないとどんな生物も生き抜くことはできません。人類は、農業を始めて、それまでの課題であった飢餓から脱出し、爆発的に人口（個体数）を増やしてきたわけですが、いまや80億人ともなった人類全体が充分に食べていかなければならない事態が起こりつつあります。最近の国際紛争で、ますますこの危機が認識されたと思います。そ

の意味で、食料の安全保障は、エネルギー安全保障よりもっと深刻で重要かと思います。

飯吉 80億人ともなれば、それだけの食料供給はできませんからね。

澤本 ウクライナの戦争で食料や飼料、特に肥料でリンや窒素やカリウムが急に手に入りにくくなったと問題になっていますが、化学の立場からすると、リンやカリウムは、供給が難しいことに加えて、どんどん枯渇していく物質です。

飯吉 それは何に使われるんですか。

澤本 例えば肥料（リン肥料、カリ肥料など）です。それに、リンはわれわれの遺伝子の中にも入っているので、何らかの形で摂取しなければいけません。リンがないと生物は生きていけないんです。そして、何よりも窒素ですね。空気中の窒素からアンモニアをつくるというすばらしい方法（窒素の固定化）がドイツで完成し、これによって窒素肥料がつくられて農産物の収穫も飛躍的に伸び、人口の爆発的な増大も可能となったわけです。

　しかし、共同開発者の名前に因んでハーバー・ボッシュ法（Haber-Bosch process）と呼ばれる方法は、高温でエネルギーを使うため、エネルギーがなくなると窒素がつくれなくなるんです。80億人というのは半端な数ではありませんから、うまくやらないと、石油の奪い合いの次は小麦の奪い合いが起こってしまいます。そのための肥料をどうするのか。

飯吉 ポリマーで何とかなりませんか。

澤本 ポリマーなら、肥料というより、むしろ糖やでんぷんというあたりをどうしていくかでしょうか。水を貯えたり肥料を回収したりするための材料はポリマーだと思いますから、そういう方面での貢献もあり得ます。日本化学会ではJSTと共同で「国際化学サミット」（Chemical Sciences and Society Summit: CS3）という会議を続けており、日英米中独の5カ国の化学の学会と研究支援機関（funding agency）（日本では日本化学会とJST）の代表が、その時々の化学と社会が関係する課題についての展望を話し合っていますが、今年（2023年）には、「持続可能な食料のための化学」

（Chemistry for Sustainable Food）を主題とする計画です。

　しかし、まずはエネルギーです。先ほどお話しましたが、微生物やカビは別として、人類は初めて、木材にはじまり石炭や石油などの化石資源という外界の資源を使ってエネルギーをつくり出す方法を見つけ出し、農業による持続的な食料生産と相まって、爆発的に人口（個体数）が増え、一つの種がこんなに地球上に拡がって繁栄してきました。

飯吉　それは地球の環境ゆえにそうなったのでしょうか。

澤本　そうです。地球だからだと思いますね。

飯吉　では、他の惑星ではちょっと期待できない。

澤本　今のところは発見できていません。今や数多く発見されている地球外惑星の中でも、液体の水や大気中に十分な酸素があり、生物が発生し生息できる温度のハビタブルゾーン（habitable zone：生存可能圏、生命居住可能領域）にある惑星があるとは言われています。ただし、われわれがこのような地球外生命体（extraterrestrial life）に相まみえるかどうかはわかりません。それとも、全く違う形の生物が木星などにいるのかどうか。これは全く私の好きなサイエンスフィクションの部類の話になってしまいます。

岩間　宇宙論については、飯吉先生も本日の対談でぜひお話ししたいとおっしゃっていましたよね。

澤本　飯吉先生がずっとよくご存じでしょうが、どんどん広がっていっている宇宙が何百億年先にどうなるのかというシナリオもいくつか考えられています。若手の宇宙物理学者ケイティ・マックの『宇宙の終わりに何が起こるのか 最新理論が予言する「5つの終末シナリオ」』（吉田三知世訳、講談社、2022年）[26] などいろいろな本が出ていておもしろいんですが、かつてアインシュタインが悩んだように、宇宙の質量が不十分だと、このまま拡散して最後は何も起こらない絶対零度になるのか、それとも、いわゆるダークマター、ダークエネルギー[27] により質量とエネルギーは十分にあって、いずれ収縮してまたビッグバンに戻るのか。ダークマターというのは化学分野のわれわれからすると驚きで、原子が物質

のすべてと思っていたのが、それは宇宙全体の物質の５％程度でしかなく、残りの95％は物理学の専門家ですら何なのかわからないと言うのですね。最後にはいつも、そのとき私たちは死に絶えているからどうでもいいことだと言いながらも、いろいろな理論が出てきていて、個人的にはおもしろいなと思っています。宇宙の外に何があるのかということもよく言われますよね。

飯吉 それはまず宇宙の定義からしないといけません。

澤本 そうですね。哲学的不可知論でそこは議論しても仕方ないという意見もあれば、宇宙の外からより優れた存在がすべてを管理しているといったサイエンスフィクションに典型的な話もあります。それから、138億年前に起こったビッグバンでたまたま粒子と反粒子[28]のバランスの崩れが少し残ったものがわれわれになっているとも言われますが、なぜビッグバンが起こったのか。ビッグバンの前には何があったのか。

飯吉 それはビッグクエスチョンです（笑）。

澤本 それは聞いてもいけないという意見と同時に、亡くなったスティーヴン・ホーキング[29]がおっしゃったように、そこから神がいるかどうかということにもつながっていくわけです。神がすべてを管理し、そういうものがいくつもあって、たまたまその一つがうまくいって知性を持つ生物ができたとか、いや、それは議論しても仕方がないとか、いろいろ意見があります。ただ素朴に、宇宙の外に何があるのかなと思われませんか。

飯吉 そうですね。でもマルチバース（多元宇宙）の話になってしまうと、あまり物理学的に生産的な議論にならないと思っています。

澤本 「たまたま論」が多いですからね。想像をたくましくすると、他にも宇宙があるんだろうかと思います。要するに、宇宙が加速度的に膨張していて、それ以上は光は戻ってこない、いわゆるイベントホライズン[30]があって、138億年前からずっと広がってきたと言われますが、その外には何があるのか。サイエンスフィクションでは、そういう設定がたくさんあり、この宇宙（銀河系）はいわゆる知性生命の進化が期待でき

ないから摘み取ろうとか、この宇宙は育てた方がいいだろうとかいうお話しがたくさんあるんです。

岩間　おもしろいですね。ちなみに学術的議論ということではなくて、サイエンスフィクションを楽しむような雰囲気で科学者同士でそうした宇宙の話をしたりしますか。

澤本　化学分野の同僚でも時々はしますが、雑学の好きな人や空想科学小説が好きな人とも、よくそんな話になります。例えば、先ほどもふれた、「宇宙はすべての物質を試しつくり出してきたのか」、「今ある『天然物』や『生命』はあらゆる試みの後に選択されたのか」、あるいは、「合成化学は天然物化学を超えることができるのか」なども話題となります。同時に、宇宙の外に何があるのかというのは実に素朴な疑問ですよね。みんなビッグバンをよく知っていて、インフレーション宇宙などと言われると、その前は何だったんですかと疑問が出てきます。仏教の輪廻論で回答する人もいたりするわけです。広がり縮み、広がり縮み、広がり縮んでいる。

飯吉　繰り返すということですね。

澤本　カール・セーガン[31]も、ほとんど水素しかないところから出発し、いわゆる宇宙のちりから太陽のような恒星ができて核融合反応が起こり、その燃焼生成物の中にごくわずかな割合ながら絶対値としては膨大な量の鉄や重元素ができた、それが超新星で大爆発して再び宇宙に広がり、遠くの恒星の周りにできていた惑星にそれらの元素が集まり、地球のような幸運な惑星でわれわれのような知的生命体がつくられたと言っています。

飯吉　そういう世界では、先生のなさっている高分子が関与していますね。物理学の領域外でしょうか。

澤本　いやいや、そのもとを支えている原理は物理学です。

飯吉　ただ、物理だけあっても、われわれ人間はできてこなかったんじゃありませんか。

澤本　それはそうかもしれませんが、物理があってこそ化学反応が起

こっているんじゃないかと思います。

岩間　では最後に、これからの世代について改めてお聞きして終わりたいと思います。

　普通、子どもは自然について素朴な疑問を持つと思うんですが、自分が不思議だなと思った疑問をそのまま開花させて理系の研究に進むということはなかなかありません。どうすればそういった道を開拓できるでしょうか。

澤本　小さいときの素朴な疑問が次々と潰されてしまい、まあいいやと思ったり、別のことに興味が行ったりします。でも、たまたまそこを少し保ってうまく伸びた方たちが、みんなから変わり者と言われながらも、一部の独創的な科学者になるのではないでしょうか。もちろん芸術家もそうですが、とりわけ理論物理学や数学は、才能をうまく育てていかないといけません。

飯吉　そうですね。物理の方でいえば、さっきも出たホーキングなどがまさにそうです。難病を抱えながらもああいう発想ができるんですから天才です。

岩間　私から見ると、そういう好奇心を潰されずに育つと飯吉先生や澤本先生のようになるのかなと思います。

澤本　私がその一人かどうかはよくわかりませんが、浮世離れしているのはある意味いいことですね。ただ、おっしゃるように実はそれも確実に重要で、ギリシャ哲学が発展したのも、奴隷制度のもとで一部の人に自由な時間ができたからだと言われています。ワインバーグはこの対談の冒頭でも紹介した『科学の発見』の中でギリシャ哲学や科学はポエムの一種であると書いていますが、その考えで行くと生活に追われないからポエムができた。

飯吉　それはあるんでしょうね。そういうことでないと出てきません。

澤本　毎日毎日の生活に追われている人では創造的な学問も芸術もでき

ないかもしれません。

飯吉　生活に追われてしまうとサイエンスまではつながりません。

澤本　言い方が難しいのですが、氏か育ちかというのもあるでしょう。これは実に微妙な問題で、多分両方絡んでいるわけですが、99%が努力と言う人もいれば、やはり育ちより遺伝が重要と言う人もいます。

飯吉　先生はどちらだと思いますか。

澤本　両方としか言いようがないですね。最近のウォルター・アイザックソン[32]らの著書『コード・ブレーカー　生命科学革命と人類の未来（上・下）』（西村美佐子他訳、文藝春秋、2022年）で、DNAの二重らせんを発見したジェームズ・ワトソン[33]博士は、この「氏か育ちか」について考えたいために、人間の遺伝子の塩基配列全解析（Human Genome Project）を提案したとも書いています。いずれにせよ、また、分野にもよりますが、基礎物理学、数学、音楽、スポーツは、努力だけではだめだとよく言われます。ある意味幸いなことでしょうが、化学では、経験も重要で「遅咲きの桜」もあり得るとも言われます。

飯吉　例えばモーツァルトやベートーヴェンなどは、彼らでないとできない曲をつくっていますからね。一般的な努力や勤勉に創造のすべてを求めてもなにも理解できません。

澤本　音楽も数学も、よくそういう話を聞きますね。

飯吉　数学もそうですか。

澤本　努力すればいけるところもあるけれども、それだけではどうしようもないところもあって、またその分野の人にはそれがわかるらしいんですね。野球でもそうでしょう。高校生のときキャッチボールしているのを一目見ただけで、あいつは絶対に才能があると思ったとか、そういう衆目の一致するところがあるわけです。サイエンスは唯一その程度が低く、経験や実験で救われているところがあります。数学は、25歳ぐらいまでに何かきっかけをつかまないと、やめた方がいいと言われます。

飯吉　化学の世界的天才を二人か三人挙げなさいと言われたら、誰になるんですか。

澤本　先ほど『化学のドレミファ』のところで名前の出たジョン・ドルトン、「近代化学の父」と呼ばれるフランスのアントワーヌ・ラヴォアジエ、それからニュートンも、物理学者ではありますが、化学にも大きく貢献しています。最近では、先ほどのウッドワードが有機化学の天才と言われています。有機合成を芸術の領域にしたということでノーベル賞をもらっています。ビタミンB_{12}というのは非常に複雑で合成が難しいんですが、どういう反応をどう組み合わせるとその有用な化合物ができるかを研究し、美しく全合成したわけです。

　他に物理化学の人もいろいろおられますし、先のDNAの構造を解明したアメリカの分子生物学者ジェームズ・ワトソンとイギリスのフランシス・クリック[34]もそうです。特にクリックが天才と言われています。

飯吉　あれは二人いないとできなかったんでしょうか。

澤本　そうだと思います。

飯吉　やはり組み合わせも大事なんですね。

澤本　ワトソンは、少し傍若無人で好奇心が強かった人と言われており、一方でクリックには、独立独歩でひらめきがありました。この二人の組み合わせでDNAの二重らせんが発見され，これが遺伝と進化の源であることがわかって、にわかに脚光を浴びたのです。ワトソンの『二重らせん』(江上不二夫他訳、講談社、2012年) という著書にいろいろなエピソードが書いてありまして、なかなかおもしろい本でした。

岩間　ところで、周りに変わり者と思われても興味を持ち続けた子どもたちが独創的な科学者に育つ、というお話がありましたが、先生は周りに変わり者と言われたりしていましたか。

澤本　うわさでは、高校時代にはそう言われていたらしい（笑）。もっとも学校の勉強についていくだけで精一杯であっただけで、それほどの変わり者ではなかったと思います。

岩間　何か特定のことに興味があり、そればかりしている子供がいたとして、その子が変わり者と言われても、自分が大事だと思うことをやり続けるためにはどうしたらいいと思われますか。

澤本　それは周りの人がちゃんと理解してあげることが重要なんじゃないでしょうか。ただし、今の制度では学校に行けなくなるおそれがありますので、その辺のバランスは必要です。

岩間　社会生活の方もきちんとしつつということですね。

澤本　今はいわゆる特定科目入試があると思いますけれども、基本的には、特に両親や友達や先生など周りの人たちがそういう点をうまく見つけて見守り、現実的な問題にもうまく対処できるよう助けてあげるしかないような気がします。これも程度問題で、例えば、アインシュタインは全く協調性がなく、数学以外は劣等生と言われていたわけでしょう。でも、それをわかってくれる人が一部いた。日本でも目の見えないピアニスト・辻井伸行さんの例では、ある音楽を聞いたときすごく反応したことにお母様が気づき、そこをうまく育てた。気づかなかったらうまく育たないですよね。

飯吉　最後に何か伝えたいことはありませんか。

澤本　何とか好奇心を保っていろんなことに興味を持ちながらこれからも元気に生きていきたいと思っています。繰り返しますが持続性のためのケミストリーが火急の課題であると思わざるを得ません。今はある種の使命感を実感しています。自分自身がというよりも、国際的にみんなと一緒にうまくやっていく必要があると思っています。飯吉先生には、大変お世話になってきましたが、これからも様々なことをお話しできればと思います。

岩間　どうもありがとうございました。

澤本光男（さわもと・みつお）
1951年生まれ。京都大学工学部高分子化学科を卒業し、1979年に同大学院博士課程修了。その後、京都大学工学部高分子化学科助手、講師、助教授を経て1994年に教授。2017年より中部大学総合工学研究所教授。

注

1) Steven Weinberg（1933 ～ 2021）アメリカの物理学者。アブドゥス・サラム、シェルドン・グラショーとともに、電磁気力と弱い力を統合するワインバーグ＝サラム理論を完成させ、1979 年にノーベル物理学賞を受賞した。

2) 温室効果ガスの排出量から吸収量と除去量を差し引き、実質的な排出をゼロにした状態。

3) プラズマとは固体、液体、気体に続く「物質の第 4 の状態」で、気体の原子が原子核と電子に分離した状態のこと。核融合で持続的にエネルギーを生み出すためには、高温度高密度のプラズマを閉じ込めておく必要がある。

4) 1864 年の Zoological Record を前身にする世界最古かつ世界最大の科学業績評価会社。独創的研究の発見、共有や保護などを行い、その評価はノーベル賞選定に大きな影響を与えている。2002 年からは毎年ノーベル賞の直前の 9 月に引用栄誉賞を公表し、その受賞者は高率でノーベル賞も授与されている。

5) Aviation Week & Space Technology 2018、180（12）（June18-July 1,2018）、52–56.

6) Harold Urey（1893 ～ 1981）アメリカの化学者。1934 年に重水素発見の功績によりノーベル化学賞受賞。マンハッタン計画にも参加した。

7) Stanley Miller（1930 ～ 2007）アメリカの化学者。学部生の頃にカリフォルニア大学バークレー校でハロルド・ユーリーから指導を受け、1953 年にシカゴ大学のユーリーの研究室で行ったユーリー＝ミラーの実験で有名。これによって生命体を構成する有機体が非生命体から生成される可能性を科学的に究明する基礎がつくられた。

8) Katalin Karikó（1955 ～）ハンガリー出身の生化学者。バイオンテック副社長でペンシルヴェニア大学教授。mRNA を使ったワクチンに欠かせない基盤技術を開発し、2023 年にペンシルヴェニア大学教授ドリュー・ワイスマン（Drew Weissman, 1959 ～）とともにノーベル生理学・医学賞を受賞。

9) Walter Gilbert（1932 ～）アメリカの物理学者・生化学者であり、分子生物学の草分けの一人。

10) 米山正信『化学のドレミファ』全 3 巻、黎明書房、1963 ～ 1966 年。なお何度か増補され続け現在は全 10 巻となっている。

11) John Dalton（1766 ～ 1844）イギリスの百科全書的科学者で化学、物理学、気象学の先駆者。

12) Karl Ziegler（1989 ～ 1973）ドイツの化学者。エチレンなどの二重結合を持つアルケンを配位アニオン重合させる触媒を発見した功績で知られる。

13) Giulio Natta（1903 ～ 1979）イタリアの化学者。ツィーグラーの開発した触媒を改良し、本文にあるように現在ではツィーグラー・ナッタ触媒として知られている。

14) Robert Burns Woodward（1917 ～ 1979）アメリカの有機化学者。天然物から現代人の生活に不可欠の有機物質を次々合成した。

15) 澤本光男「私と化学」（https://kdc.csj.jp/learning/item_1054.html）。

16) Philip Ball（1962 ～）イギリスのサイエンスライター。20 年以上にわたり『ネイチャー』の編集者を務めている。科学評論の書き手としても著名で、『ニューヨーク・タイムズ』や『ガーディアン』、『ファイナンシャル・タイムズ』の常

連執筆者である。

17) Александр Опарин（1894 ～ 1980）ソ連の生化学者。地球上の自然物から有機体が合成され、生命の起源になったと一貫した説明原理をつくり上げた。ソ連の自然弁証法の公的見解と矛盾しないこともあって制度的科学の権威ともなった。オパーリンは日本にも訪問し、日本の生化学にも大きな影響を与えている。

18) オパーリンの著作の日本語訳によく似たタイトルがいくつか存在する。その中でもっとも体系的に学説を本人の文章で読めるものとして、アレクサンドル・オパーリン（石本真訳）『地球上の生命の起原』（岩波書店、1958 年）がある。

19) 鏡に映したように空間座標を反転させた場合に、物理現象が同じにならないこと。

20) 瞬時に移ろうものの変幻によって人の心に引き起こされるしみじみとした情趣や哀愁。平安時代の文学底流の一つをなし、日本文化の美意識に影響を与える。仏教の基本的考えというよりも平安期に成立した「天台本覚論」の教説が関与しているとも見られている。

21) Thomas Kuhn（1922 ～ 1996）アメリカの哲学者、科学者。専門は科学史及び科学哲学。

22) トカマク型は核融合炉のプラズマ閉じ込め方式の一つ。ドーナツ型の放電管に沿って外側にコイルを巻き、そのコイルに電流を流してできた磁場と、その磁場に沿って電流を流してできた磁場という、二つの方向の磁場を合わせてできた螺旋状の磁場でプラズマを閉じ込める方法。

23) Carl Anderson（1905 ～ 1991）アメリカの物理学者。ミュオンを発見し素粒子研究を開拓した。1936 年にノーベル物理学賞を授与された。

24) Seth Neddermeyer（1907 ～ 1988）アメリカの物理学者。アンダーソンの共同研究者としてミュオンを発見したことで知られる。マンハッタン計画にも参加した。

25) 核融合実験炉を実現しようとする超大型国際プロジェクト。2025 年の運転開始を目指し、日本・欧州・米国・ロシア・韓国・中国・インドの 7 極により進められている。もとは International Thermonuclear Experimental Reactor（国際熱核融合実験炉）の頭文字をとったものであったが、現在はラテン語の iter（道）と同綴であるから、略称由来とは説明されない。

26) Katie Mack（1981 ～）はアメリカの宇宙物理学者で、本書の原書 *The End of Everything: (Astrophysically Speaking),* Simon & Schuster, 2020 はベストセラーになった。

27) ダークマターは宇宙を占めていると考えられる未知の物質、ダークエネルギーは未知のエネルギー。

28) ある粒子に対して質量や寿命は同じだが、電荷などの正負が逆の粒子をいう。すべての粒子には反対の性質を持った反粒子が存在する。粒子と反粒子は衝突すると消滅するが、ビッグバン直後に粒子の方が数が多く生み出されたため消滅の後にも粒子だけが残り、そこから現在の宇宙が生成されたと考えられている。

29) Stephen Hawking（1942 ～ 2018）イギリスの理論物理学者で量子宇宙論の開拓者。『ホーキング、宇宙を語る ビッグバンからブラックホールまで』（林一訳、早川書房、1989 年）などの一般向けの科学書でもよく知られる。

30) 物質がブラックホールに近づきすぎると、ブラックホールの強力な重力のためそこから逃げ出せなくなる。光ですら抜け出せなくなるが、光が抜け出せるギリギリの境界線をイベントホライズン（事象の地平線）という。光があるということはつまり「観測できる」ということだが、光が吸い込まれて観測できなければ、それより先の情報は知ることができない。

31) Carl Sagan（1934 〜 1996）アメリカの天文学者、作家、SF 作家。テレビ番組になった『COSMOS』（のちに『コスモス』と改題されて文庫化、木村繁訳、朝日新聞社、1980 年）をはじめとても影響力の大きい一般書のライターとしてよく知られている。

32) Walter Isaacson（1952 〜）アメリカのジャーナリスト。レオナルド・ダ・ヴィンチ、アインシュタインからスティーヴ・ジョブズなどの伝記作家として知られる。

33) James Watson（1928 〜）アメリカの分子生物学者。DNA の二重螺旋構造を発見し、1962 年にノーベル生理学・医学賞を授与された。

34) Francis Crick（1916 〜 2004）イギリスの生物学者。もともとは物理学を専攻していたが、戦後生物学に転じ、DNA の二重螺旋構造を発見した。1962 年にノーベル生理学・医学賞を授与された。

入門するキミに
―「なぜ化学に?」私の場合―

　近頃「なぜ化学を目指したのか」と問われるようになった。ドラマのように「どうする？」と思い悩んだ記憶もなく、直感的に「何となく」感じていたが、「次の三つの出会いです」と答えている―それは父のくれた本、中学校・高校の理科の先生、大学での恩師。

　筆者はいわゆる理系であり、一方で父は文系の高校教諭であったが、折に触れ自然科学の本を買い与えてくれた。例えば『天文の図鑑』の月着陸船に憧れ、飛行機が趣味となったが、何より『物質の変化』など理科の本を読みふけった。物質が原子や分子からなり、美しい色と形で神秘的に変化するのに驚き、これが化学へ進んだ最初のきっかけであったろう。

　中学校に進み、当時の「第一理科」担当の山上智男先生に出会った。授業では「水素、酸素…」と元素記号を即答するクイズがあり、正解しないと「しっぺ」を受けたため、先生は「しっぺの山上」と呼ばれてい

た。「体罰」などと物議を醸すこともない、おおらかな時代だった。そんな先生に惹かれて「第一理科クラブ」に入った。近隣の井戸の水質調査を続け、夏休みには、先生の指示で鉄釘の腐食と酸性度との関係を調べる「自由研究」もした。結果を学園祭で発表し、それが最初の「口頭発表」となった。

　高校でも熱心な先生に出会い、化学を「得意科目」と自認していた。実験校でもあって進取の授業が試みられ、生徒が自ら計画して化学実験を行い、大学で習うはずのエントロピーや混成軌道なども教えてもらった。結局迷わず大学は化学系に進んだ。

　大学では、3回生になり高分子化学担当の東村敏延先生に出会った。また質問に来たかと苦笑されたが、先生の研究室を志望し、やがて助手に採用され、共に30年以上も研究・教育に携わる幸運を得た。先生はどう思われていたか不明だが、筆者には心が響き合うように感じ、教授室で研究や人生について夜更けまで話し込んだ。先生は、恩師であるとともに「第二の父親」のように感じ、さらに化学への没頭が進んだ。

　筆者のような理系は論理的であると信じられているが、人生の節目の決断や研究での判断は、「何となく」と直感的である場合も多いように思う。

　本をくれた父も、しっぺの先生も、第二の父親の恩師も、既に鬼籍に入られた。恵まれた出会いに感謝し、若い世代には、心が響き合い、尽きることのない好奇心と意欲をかき立てる出会いと直感が訪れるよう、少しでも力を尽くせればと思っている。

（初出　『中部大学通信　ウプト』226号、2023年7月）

決定論だが予測できない
カオスの魅力

津田一郎

▶ **応用数学**とは

岩間　本日はよろしくお願いいたします。飯吉先生は『物理学から世界を変える』（風媒社、2021年）の中で津田先生のご研究について語っていらっしゃいますよね。

飯吉　あの心の基本方程式は僕もまだ理解できていません。

岩間　飯吉先生は心と脳について非常に関心をお持ちとのことですので、後で話題にできればと思っています。

　最初に、読者への紹介も兼ねて津田先生の研究分野についてお伺いします。プロフィールを拝見しましたところ、応用数学、計算論的神経科学、複雑系科学がご専門とありました。何をする学問なのか一般にはあまり知られていないと思いますので、そのあたりからお聞きします。

　まず、この中では応用数学が一番イメージしやすいと思うのですが、応用数学というのは数学を他のいろいろな分野に応用していく学問とい

うことでいいのでしょうか。

津田　応用数学というのは、「応用」とついていますように、世間的には数学の諸分野への応用がメインではあります。よく知られているのは、他分野や産業に関する問題に対して数学モデルをつくって数理を通してそれらの問題の理解を深めるという手法です。ただ逆に、諸分野の研究の中に数学的な構造を見つけ、数学と諸分野との連携を促していくという役目もあります。大きく分けて二つ、数学を使っていろいろな分野の問題を解くという側面と、いろいろな分野の中に埋め込まれながらもまだ発見されていない数学的な構造を見つけて数学にしていくという側面があるわけです。

岩間　他分野の中の数学的な部分を見つけ出すということですが、例えばどういった分野があるのでしょうか。

津田　すべてです。例えば物理なら、もちろん物理学者は自然の物理法則を見つけたいんですね。ただ、物理学者はそれを表現するときに数学を使いますから、そこで逆に応用数学的な一つの側面が活躍することになるわけです。物理学者は実験の中で物理法則を見つけようとするので、数学的な構造には当初あまり興味がないはずです。むしろ物理的な法則が何かということにこそ興味があります。でもわれわれは、その物理の実験の中に、物理法則とはまたちょっと違う何らかの数学的な仕組み、ある種の数学的な構造みたいなものがあるはずと思っているんです。そういうものを発見すると、物理学者が見つけるいわゆる物理法則とはちょっと違うタイプの法則が見えてくることがあります。とはいえ、それは全く無意味ということもあるので、本当に意味あることかどうかは物理学者と議論しないといけないんですが、物理学者では発見できないようなやり方で、違う側面から物理現象を発見できるということです。

岩間　飯吉先生は物理学者ですね。物理法則を見つけていくという中で、津田先生が今おっしゃったような観点をどうお感じになりますか。

飯吉　どう自然や宇宙を理解していくかという点では同じなんでしょう

ね。ただ、それを数学的な観点から見るのと物理的な観点から見るのとでは少し違いますから、そこをうまく総合したものが本当のことに近いんじゃないですか。

津田　化学でもそういうことがありますし、恐らく社会科学でも、経済学などは割とそうじゃないかという気がします。脳科学もそうです。最近は生命科学でも、理論生物学、数理生物学と呼ばれる分野が活発になってきています。これは、数学的な観点から生物現象を見ていき、生物学者では発見できなかったものを見つけていくといった仕事です。

岩間　経済学とおっしゃいましたが、金融の世界でさかんに数学が使われていますね。

津田　有名なものとしては「伊藤の公式（伊藤カリキュラス）」という確率微分方程式があります。

　例えば株価の変動など、毎日、毎時、毎分、毎秒で変化しているものは、通常の数学では扱えません。ただ、確率微分方程式なら扱えるんですね。変化が滑らかだとある種の接線が引けますが、常にギザギザしているとどこにも接線が引けません。微分可能性がないと言いますが、すごくランダムな微分できない現象もあります。でも、数学の方では、これを確率微分方程式で記述できるわけです。そこで、この分野の大家だった伊藤清先生の考えた式が株価変動に当てはまると言い出したアメリカの研究者がいて、これが金融に応用されました。株価は毎秒変化していくので、そのものの予測はできないわけですが、ある程度の期間で平均してやると滑らかな現象になり、反応拡散系という拡散方程式から株価を予測できたんです。今も株の人たちはその偏微分方程式を使って予測しているはずです。現在、この理論をつくったフィッシャー・ブラック[1]とマイロン・ショールズ[2]の二人にちなんでブラック＝ショールズ・モデルと呼ばれています。

岩間　そういうものを使ってお金を儲けるんですね。

津田　ただ、通常はそれでよかったんですが、株価の急激な変化に予測が追いつかず、世界的な大暴落につながったことがあって、逆に非難も

されました。非難されても困るんですが、ブラック＝ショールズ・モデルの平均化方程式が必ずしもうまくいかなかったんです。伊藤先生の確率微分方程式のレベルなら多分そんなに間違ったことにはならなかったと思うんですが、平均化するとどうしても激しい変動を捉えられず、この式で把握できる株価変化率は限界を持っている事実も判明しました。

　ともあれ、株価の変動を典型として、経済現象の中で、経済的な法則はなかなか見えてこなくとも、数学的な法則は見えてくるんですね。要するに、数学的にどういう規則があって変化しているのかは見えてくるわけです。もちろん経済学者は経済現象を経験科学の分野としていろいろ解釈しなきゃいけないんですが、金融の分野では数学的には割とそういうことも可能です。このように様々な分野で数学が使われ、数学的な解析によって現象の解釈ができるようになっているのかと思います。

岩間　アメリカの有名大学で数学を勉強した人が科学の発展につながる仕事よりも、証券会社や株の方へ行ってしまうという話を聞いたことがあります。金融商品の開発を手がける「クオンツ」やリスク計測などを通じて保険や年金の分析をする「アクチュアリー（保険数理士）」などはウォール街の花形のように言われていますね。日本でもアクチュアリーの方はマスコミでもおなじみの言葉になってきましたし、その仕事をするのは数学科出身者らしいですね。

津田　数学科を出るかどうかは別として、金融関係に行くとなると、少なくとも数学をかなり勉強していないと難しいと思います。いっとき数学科の学生が大量に金融関係へ就職する時代があったんですが、その前は保険関係でした。アクチュアリーがクオンツに先駆したのでマスコミで頻用されるようになったのでしょう。保険や金融は数学的にできているんですね。それから、選挙なんかもそうです。日本も採用しているドント方式[3]などは典型ですが、いかに公平な選挙をするかといった選挙制度みたいなものも、実は数学に裏打ちされています。なかなか難しい問題なので、これという決め手はないんですが。

▶ 計算論的神経科学とは

岩間 では、計算論的神経科学というのはどういった学問でしょうか。

津田 これは脳科学なんですけれども、脳の研究というのは、日本では医学部で研究していることが多いんですね。動物を使って実験をしたり、人の脳活動や行動と脳活動の関係を観察したり計測したりして、臨床と基礎生理に分かれます。臨床の方は、実際に病気になった人を調べます。脳の病気もたくさんあるんです。一方、基礎生理の方は、必ずしも病気だけでなく、脳神経系がどういう仕組みで働いているのかも調べます。神経細胞の一個一個から調べていったりするんですね。

　この基礎生理で、従来は実験だけをしていたわけですが、1990年あたりからは、理論のしっかりした数学や物理なども使いながら脳神経系を解析するようになりました。さらに、数学や物理を知っている人が脳と同じような働きをする機械をつくれるんじゃないかと言い出し、これが人工ニューラルネットワークとして今のAIのベースになっています。脳神経系の研究にこういった数学や物理の考え方を使う分野をどう呼ぶかということでいろいろ話があったんですが、脳が一体何を計算しているのかという観点から数学モデルをつくって実際の現象とあわせていく、つまり、脳神経系を計算という立場から見るという意味で計算論的神経科学と名づけ、今ではそれが世界的に一つの大きな分野になっています。

岩間 津田先生は初めからそちらのご研究をされていたわけではないんですよね。

津田 ええ。1983年ごろに始めました。それまでは大学院生で、非線形・非平衡の統計物理をしていました。

　原子や分子がたくさん集まることによって、巨視的に原子や分子の性質だけでは記述できない集団運動が出現してきます。この集合的な性質が創発してくる、一個一個では見られない全く違うある性質を集団として持つようになるというのが物性物理の基本であり、それを理論づけるのが統計物理です。

岩間　それは社会学の考え方とも共通しますね。社会学でも、それを構成する個人個人の性質と、個人の集合体である社会とは全く違うと考えます。社会を分解してその構成要素である個人を研究するだけでは、社会は見えてきません。

津田　そして、平衡系ならエネルギーなどいろいろな保存則があるんですが、エネルギーが保存しないでエネルギー散逸が起きるようなものが非平衡系です。つまり開放されているんですね。例えば、このコップの中を考えてみると、今は止まっていますから、流体として平衡状態になっています。原子や分子は動き回っていますが、マクロには落ち着いているので、平衡状態と言えます。しかし、これをゆすってエネルギーを与えてやると非平衡状態になり、運動を始めます。こういう場合に平衡とは違うどんな性質が出るのかを研究するのが非平衡の統計物理という分野です。

　そこでカオスという問題を扱い、かなり深く考えていく中で、何となく脳をやろうかなと思うようになったんですね。さらに突き詰めていくと、カオスが持っている不可能性は結局は認識の問題とつながっている。だったらそれは脳の問題ではないか、と考えるようになりました。

岩間　先生が脳神経系に方向を向けられたのは博士号を取られた後ぐらいですよね。そのころそういった学問が世界的にあり、魅力的なフロンティアと見られていたんですか。

津田　いや、脳神経系を理論的に研究すると明確に言っている人はそれほどいませんでした。ゼロではないにせよ非常に少数派で、ほとんどの人は実験をしていました。そういう分野を理論でできるとは誰も思っていなかったんですね。

岩間　そんな中で、新しい研究をどこから着想されたんですか。

津田　カオスというのはちょっと不思議で、すべてが決定された方程式であるのに、全く予測できない解の構造を持っているんですね。これを調べれば調べるほど複雑で、数学的には単純な方程式は単純な解しか持たないというのが常識なのに、単純な方程式なのに非常に複雑な解の構

造があり、しかもすごくきれいなルールが見つかるわけです。それで、だんだんいろいろなカオス現象を調べ、理論的に研究するようになりました。現象を見れば、それがカオスかそうでないか、どういう特徴があるかといったことはすぐわかるにもかかわらず、なぜ決定論でもそういう複雑な構造を持つ方程式が世の中に存在するのかが非常に不思議でした。

岩間　それは不思議ですね。一見すると論理矛盾にも聞こえます。

津田　そうです。だからこそ、カオスのインパクトは様々な分野であったわけです。ただ、表面的な現象だけ見ていては真のインパクトに気づきにくいので、単なる複雑な現象と見てしまえばそれ以上の認識には至りません。やはり深く研究して初めてそのインパクトの意味が見えてくるのですね。岩間さんが今おっしゃったように、カオスというのは、決定論なのに決定論的でない現象をあらわしており、結局矛盾しているわけです。ある種の自己矛盾を内包しているようなところがあって、これは一体何なんだろうと非常に興味が湧きました。矛盾を解消するためには論理もしくは概念のレベルを上げなければならないわけで、そこに新しい創発が生じます。ですから自己矛盾こそが創発の源泉になりうるわけです。そういうわけで、不可能なものにすごく興味があったんですね。可能なものは、可能だから解いてしまえばいい。でも、不可能であることが証明できるような定理が実は数学にはいくつもあるんです。

岩間　有名な「フェルマーの最終定理」も「存在しない」ことの証明ですよね。

津田　フェルマーの定理の場合は「存在しない」ことを証明するのですが、「不可能である」ことを証明するのは哲学的にはもっと深いような気がしますね。私は不可能であると証明されてしまうようなものに、もともと興味がありました。この問題は解けないということが解ける、そういう解けない問題の方が、調べてみると、実はものすごく構造が豊かなんですね。一方、解けてしまう問題は大して深みがない。解けない問題の方が問題として深みがあって、まさにそこからいろんな新しいもの

が創発されてくる。その根っこにあるのが不可能性なのではないかと妄想したわけです。

岩間　それはとてつもなく興味深いです。

津田　それでカオスをベースにして何かできないかと思っていたところ、ちょっと認識論的なところもあったので認識にも興味が出てきて、認識とは何だろう、どこでやっているんだろうと見てみたら、脳でやっていた。では、カオスをベースにして脳をやれば、今まで脳科学をしてきた人が見つけていないようなことが何か見つかるんじゃないか、わからなかったことがわかるんじゃないかと思ったんですね。こちらは武器として不可能性を持っていましたから、それを武器にすれば、可能な問題も解ける上に、不可能な問題も何らかの記述ができるかもしれないと妄想したということです。

岩間　今でこそ脳の研究はよく聞きますが、その頃としては全く新しい研究テーマを開拓なさったわけですね。

▶ 京都大学時代

津田　飯吉先生のころですと戦争の影響も結構残っていて、それはそれですごくご苦労をされたんですが、戦後世代のわれわれは、1960年代の後半から70年代初めにかけての学生運動の時代に大学や高校が戦争状態になった（これはこれで私にはすごくよかったのですが、それはまた別の機会に）。この嵐の時期を除けば大半は比較的平和な時代でもありました。しかし平和である一方、上に団塊の世代がいまして、その連中があぶれてしまって就職先がなかったんです。極めて優秀な人だけが研究者になり、大学に残っていました。そうすると、彼らが大学のポストの全部を占め、われわれまで回ってこないんですね。特に京大はひどくて、大学院に入ったとき、マスターとドクターで大学院生が100名ぐらいいた上に、何と、オーバードクターも100名いたんです。5年たっても就職できない人がいっぱいいました。東大も同じようにオーバードクターがたくさんいましたが、大体2年ぐらいで皆さん就職できていました。

そんな状況に愕然として、もうこうなったらやりたい放題やって討ち死にすればいい、飯を食えなくてもいい、後は野となれ山となれだと覚悟ができたんですね。無謀といえば無謀なんですが、まず就職できないだろうと思っていましたから、どうせできないなら後で悔いが残らないようにやりたいことをやろうと思いました。今なら生活を守らないといけないとすぐに考えてしまうので、そこまで無謀なことはしないような気もします。若いからできたことなのかもしれませんし、もともとそういう性格で、京大の悲惨な環境によって、その無謀さもより先鋭化したのかもしれません。さらに、これは京大の良いところなのですが、誰かが新しいことをやると「豚もおだてりゃ木に登る」よろしく、周りの先輩や先生方が異常なまでに褒めてくれるわけです。これで勢いをつけることができましたね。さらに言えば、私は大学は大阪大学で理学部物理学科なんですが、物理教室の図書室には日本の物理をつくった長岡半太郎の書が掛けてありました。曰く、「勿嘗糟粕（そうはくをなむるなかれ）」。糟粕とは酒の絞り粕のこと。それをなめてはいかんと。要するに人のまねをするな、独創的であれ、という教えです。私はこれをいつも見ていましたので、人がやらない新しいことをやるんだと意気込んでいたのです。

岩間　そのころ飯吉先生も教員として京都大学にいらっしゃいましたよね。

飯吉　そうなりますか。津田先生が心の研究をされる前、いわゆる応用数学につながる統計物理学の研究をされていたころ、僕もときどき顔を出していた流体力学の研究会でご活躍を見ていました。

岩間　お知り合いだったんですか。

飯吉　顔見知りではあったんでしょうね。

津田　僕はちょっと性格が悪くて、偉い先生にはできるだけ会わないようにしていたんですが（笑）。

飯吉　僕はそれほど偉くありませんでしたよ。

津田　いや、もう十分偉かったです（笑）。偉い先生方は、こいつはど

んなやつだろうと、若い人間を見ておられると思うんです。でも、若い人は自分の研究の発表にしか興味がないので、周りが見えていません。それで僕は、特に統計物理の偉い先生からはできるだけ遠ざかろうとしていました。外国人の偉い先生もいっぱい京都に来ていたんですが、できれば会いたくなかった。でも無理やり会わされたりもしました。ちょっと私にはそういう人を避けるところがあったんです。飯吉先生はプラズマで有名だったので、全く同じ分野ではないと言っても、お名前は知っていました。

　僕の専門は統計物理なので、流体ではなかったんですが、カオスをやっていたために流体乱流に興味がありました。数理解析研究所の流体の研究会や、名古屋大学プラズマ研究所で数学あるいはプラズマ物理の人が主催している研究会なんかには出かけたりはしていたんです。まさかそこに飯吉先生がいらっしゃったとは認識していませんでした。当時は若かったので、元気のいい発表をしていたのかと思います。

飯吉　僕自身は、むしろオーガナイザーの方だったので、あまり発表はしていませんでした。ただ、津田先生をよく知ってはいましたよ。津田先生が一番活躍していたんじゃないですか。まだ脳科学の研究には行っていないころです。

津田　流体も、流体としてでなく、カオスの問題としてやっていました。流体の保守本流の人たちとは全く違うやり方で流体系のカオスの問題をしていたので、逆に流体の人たちも興味を持ってくださったのかと思います。飯吉先生がされていたプラズマも、トカマク型ではドーナツ状に閉じ込めようとするんですが、実はプラズマにも不安定性があって、それがちゃんと式で書けるんです。僕が直接扱ったわけではないんですが、カオスが存在するので不安定になり、なかなか閉じ込められないというようなところで、問題意識としては共通のものがありました。

飯吉　そうですね。それでわれわれも、今おっしゃったような複雑な不安定な現象を流体的につかめないか勉強しようということで、プラズマ物理の方から流体の研究会に入っていました。あれは誰が主催していた

のでしょう。

津田 物理の巽友正先生が流体の研究会をされていたのかと思います。

　プラズマの研究については日本国内に結構大きな組織があって、いくつかの大学に中心があり、プラズマ研究所があったり核融合科学研究所があったり、非常に大きかったんですね。分野的にも勢力がすごく強く、力のある人たちも多くいて、きら星のように高名な先生方がたくさんおられました。僕らのはそれを下支えする学問なんです。ただ、あまり下支えできなかったんじゃないかと思います。統計物理というのは物理の中の基礎なので、人数がそんなに多くなかったんですね。

　とはいえ、われわれの先生の時代にはすごい方々がいて、世界を制覇していたというぐらいでした。代表的な方が5人ほどと、さらに10人ほどの世界的な先生がおられ、しかも最初は日本語で論文を書かれるんですね。まず湯川秀樹さんのノーベル賞が契機となって設立された基礎物理学研究所が出していた『物性研究』という日本語の雑誌にアイデアを書き、私の先生の年代の方々が散々議論をするんです。その上でお互いに英語の論文を書いて発表するんですが、発表するころにはもう既にでき上がっているので、外国の人たちが何かしようと思っても全部日本人がし尽くしているという時代があったんです。われわれはそれを、すごいな、でもあのようにはなれないなと思いながら見ていて、やはり違うことをしようという意識の方が強かったのかと思います。

　分野としては、統計物理も非常に強かったんですが、プラズマ物理はもっと強かった。でも、とにかくプラズマの閉じ込めというのは難しいんですよね。秒数として本当にちょっとしか閉じ込められないんです。

岩間 まさに飯吉先生がずっとご研究されてきたことですよね。

津田 あれは本当に大きな問題です。僕らも何となくトカマク型だけでは絶対に閉じ込められないだろうなとは思っていました。すごいのは、ヘリカル型[4]にした方がいいというアイデアが京大の飯吉先生の研究所から出たことです。

岩間 さて、応用数学、計算論的神経科学と伺ってきましたが、三つ目の複雑系科学というのはどういう学問と理解したらいいのでしょうか。

津田 それを説明するのがまた難しいんですが、まだ答えは出ていないと言うのが正しいと思います。最後にはそこをちゃんとするために本学の創発学術院が存在しているんですね。答えが出たら、もう創発学術院は要らなくなっちゃいますから。

スターティングポイントとして、複雑系研究は歴史的には相当前から世界中で認識されていたということがあります。特に1980年代から90年代にかけて「複雑系」という形で一くくりにされ始め、アメリカではサンタフェ・インスティテュート[5]など複雑系の研究所ができ、ヨーロッパ各地にも複雑系の研究所ができる中、日本にだけ複雑系の研究所がありませんでした。

ただ、日本には結構早くから複雑系に対して問題意識を持つ人がたくさんいました。飯吉先生もそうで、プラズマ物理などは典型例の一つです。物理法則としてはもしかしたら簡単なのかもしれません。実際問題としてすごく難しく、それでもうまくいけば核融合につながってすごいエネルギー源となり、時代が変わってしまう可能性を持つものです。しかし、内包される力学に不安定性があってなかなか制御が難しい。そういう問題は従来の物理や数学だけではなかなか解けないという意識を、恐らくプラズマの方も持っておられたんじゃないかという気がします。われわれにも、分野を問わず共通して、それまでの学問ではなかなか解決できない問題があるという認識がありました。

岩間 そういう流れがあったわけですね。

津田 さっきの非線形・非平衡の統計物理という分野でいうと、イリヤ・プリゴジン[6]という人が、熱力学をベースにしながらより複雑な現象に興味を持ち、非平衡でどういう場合に秩序が、あるいは無秩序が出てくるのかを研究しています。また、ドイツにはヘルマン（ハーマン）・ハーケン[7]という人がいて、自己組織化について数学的な構造をある程

度まで研究しました。ただ、そこに対してもわれわれは不満を持っていて、あれではまだできない問題がいっぱいあるという感じがしていたんです。そうこうしているうちに、宣伝のうまいアメリカ人に、複雑系の研究はすべてアメリカから出たものだというような言い方をされ、全部かっさらわれてしまいました。これに対してヨーロッパの人たちは、もともと自分たちだって考えていたし、アメリカは単に時流にうまく乗っているだけじゃないかとすごく怒ったんですね。日本人はアメリカ人のようにもヨーロッパ人のようにも主張しないので、結局埋没してしまいました。

岩間 それは残念ですね。

津田 いずれにせよ、全世界的にそういう意識があったということです。要するに、普通何もないところから新しいものが出ることはないのに、原子・分子がミクロに持つ性質だけでなく、それらが集合すると違うものが出てくるわけですね。そういう新しい性質が創発される仕組みが、ある程度わかってきてはいました。しかし、例えばこの器の形がぐにゃぐにゃと変化し始めたら全く違う運動が出てくるというような、パラメータや状況がどんどん変化するといった問題はほとんど解かれていませんでした。それはもしかしたら人間のいろんな行動に伴う現象なのかもしれないし、さっきの経済現象などでも、境界条件[8]がどこにあるのかよくわからないんです。ある境界条件の中で定常状態を求めましょうといった問題を解くのはいいとしても、そうではなくて境界条件がさっぱりわからないときに、でも何かが起きているのなら、どういう仕組みでその創発現象が起こっているのかを解きたい。こうした問題意識が、ほぼ世界同時的にありました。要素に還元できない性質をどう理解したらいいのか。ヒントはあったんですが、ただ、それも限定的だったので、もっと普遍的に問題にしたかったわけです。

岩間 例えばどういう問題ですか。

津田 例えば、生命現象一般がそうだと思います。脳の問題と絡めて言うと、われわれが赤ん坊になる前の胎児の段階から、既に脳神経系は発

達しています。ということは、時々刻々と境界条件が変わっているわけです。そこにかかってくる拘束条件として、例えば、物理的に頭蓋骨に囲まれており、しかもその頭蓋骨がだんだん大きくなっていきます。また、胎児の段階で会話の声も含めて外の音を耳から聞き、目も光を感じ、体性感覚もかなり発達していることが最近わかってきています。そういう開かれた条件で時々刻々と変化するものの中で成長し、生まれてからも周りの人たちと相互作用しながらどんどん大きくなっていくわけです。完全に他から切り離されて個が存在し、そのそれぞれがインタラクション（相互作用）するわけではないんですね。インタラクションしながら個が成長しているので、常にインタラクション込みで全体的に考えなければいけません。

岩間 できあがった個がインタラクションするわけではなくて、インタラクションによって個が変化しながらインタラクションする、と。

津田 その通りです。従来の科学、特に物理学は、要素還元論によって典型的に成功してきました。今の発達の問題に照らして言えば、まず個（要素）に分解し、完全に孤立して個が発達し、それらがインタラクションして集団的な性質が出ると考えたわけです。原子・分子は発展しませんから、物理はそれでよかったんですね。原子・分子が存在してインタラクションした結果と、とりあえずインタラクションを取っ払って原子・分子の性質を寄せ集め、そこからプラスインタラクションという形で考えても、一応全体の性質が導けました。しかし、要素がどんどんインタラクションしながら発達するような全体系に対しては、要素（個）に還元できませんから、今までのそういう理論では何ともならなかったわけです。こういう要素還元できないような系を「複雑系」と呼ぼうというのが、とりあえず世界の共通認識かと思います。

岩間 それは非常によくわかります。先ほども申しましたように社会学でもなじみのある発想です。もともとは個人を一つの実体として理解するのが通念だったのですが、20世紀になって実体でなく関係と把握する認識が出てきました。これが構造主義と呼ばれる潮流に結実し、基本的

に今の社会科学の共通認識になっています。最近ではこうした認識の先駆者はカール・マルクスだと言われたりもしていますが、いずれにしても一般的な認識になったのは20世紀です。創発特性も19世紀にはマックス・ウェーバーなどはきちんと認識していたと考えられています。先生のご専門の領域のような数学的厳密さはないものの、一般的方向性は社会・人文系でも共有されていると思いました。

► 心と脳

岩間 今ちょうど脳の話をしていただいたんですが、津田先生は『心はすべて数学である』（文藝春秋、2015年）という本の中でまさに脳と心のことを書いていらっしゃいますよね。飯吉先生も『物理学から世界を変える』の中で、寝る前に心と脳の問題について考えたりするとおっしゃっていました。

飯吉 興味を持ってしょっちゅう考えていたんですが、結局あまりよくわからず今日に至っています（笑）。

　僕はプラズマ物理から出発していますが、これは応用物理みたいなもので、原子核の内部の物理に入って、どう核融合を起こすかとか、どう閉じ込めるかとかいうことをするんですね。われわれは技術や応用の方にかなり行くんですが、津田先生はいわゆる心という難しい方向へ行っていて、いつも気にしていました。今も気になっています。

津田 ありがとうございます。

飯吉 大事なことですよね。

津田 気にしていただけることが一番ありがたいです。

岩間 以前、脳と心について創発学術院の中でもぜひやっていってほしいと津田先生におっしゃったと言われていましたが、お二人でそんな話をされることもあるのですか。

飯吉 ありますよ。でも、僕がつい余計なことを言っちゃうんですね。行き着く先は倫理観や道徳観になるんだろうと思って、せっかちなもんですから、すぐ先生にそれを聞いてしまう。でも、津田先生はステッ

プ・バイ・ステップで、まず「心とは何か」ということを今も一生懸命やっていらっしゃいます。ともあれ、宇宙の成り立ちや現象ともつながっているはずですから、まだまだこれから広がっていく分野じゃないかと大変期待しています。

岩間　最近よく聞かれる「心と脳はつながっている」ということについて、多くの人は「脳が心をつくる」と考えるんですが、津田先生は「心が脳をつくる」とおっしゃっていて、そこが非常におもしろく、感銘を受けました。つまり、津田先生のお考えとしては、他者の心が脳をつくっているということなんですよね。

津田　そうです。さっきちょっと言いましたように、生まれてくる前から、もう既に周りの人の影響を受けながら発達していますからね。普通の物理刺激だけでなく、人の言葉を聞いているわけです。お母さんのいろいろな行動も振動として入ってきています。これは単なる振動でなく、実は意味があるんです。他者が揺らす場合とお母さんが揺らす場合で、どうも微妙に何か違うそうです。そういうものを、どんどん発達してくる自己受容器でセンスしているわけです。生物一般にそうなんだろうと思いますが、ものすごく精度の高いセンサーが体中に張り巡らされていて、そのセンサー自体の感度や感受域が、またどんどん変わってくる。つまり、部品としてちゃんと完成したものが集まってシステムができているんじゃなくて、変わりながら変化していくものが集まったシステム全体が人あるいは脳なんですね。脳というシステムがうまく働くように部品ができていっているわけです。

　では、この部品をつくるにはどうしたらいいのか。例えば、自転車なら、車輪、ギア、ペダル、サスペンションをどこにどう置くかを考え、部品をつくって組み合わせます。ですから、複雑系とは一見違うんですね。しかし生物の場合、ぽんと設計図があって、部品があって、それらがインタラクションしてできるというものではありません。すべて設計図込みになっていて、うまく動くよう部品がどんどんできていくんです。

ですから、完成して初めて生物になるんじゃなくて、できていっている間も生物です。最初はうまく立ち上がれなくても、だんだん部品が成長し、調和がとれて立ち上がれるようになっていき、全体として機能を発揮していくわけです。ある種のセンサーができて、それがだんだん脳の奥の方に入っていくんですが、脳全体が機能するようセンサー自身も発展していくわけです。部品とシステムが一体になっているので、脳というシステム全体の機能を部品に還元できません。脳というシステムが成長するとともに機能部品になっていくという構造が、すべての部品に備わっているわけです。

岩間　構造主義の人間観がまさにそうですね。1980年代に哲学をはじめ広く人文科学で「心身問題」が再燃しましたが、要するに「心」の特権を剥ぎ取り、他者との関係性の中で「表情」や「身体性」をつくり出し、これらが「関係性としての人間」を形成するという議論でした。

　今おっしゃった「設計図込み」というのはどういうことでしょうか。

津田　この設計図とは何なのかというと、実は外とのインタラクションなんですね。それによって、だんだん脳として成長していくよう仕向けていくんです。すべての指令が実現されるように書かれた「出来上がった設計図」があるのではなく、実現されたもの（機能発現したもの）によって設計図の読まれ方が異なってくるといった意味で「設計図込み」なんですね。個々の脳がすべてそうなっています。ですから、大人になっても、実はまだ時々刻々と脳は変わっていっているわけです。今こうやって話している段階で、もう私の脳はかなり変わっていると思います。不思議なのは、なぜそれでもずっと「私」と認識し続けているかでして、これはまた別の問題として不思議なんですが、しかし、変わっていっていることは確かです。

　そういう変わり方をしているということは、脳ができて、そこに心が生まれてくるわけではなくて、もともと相互作用の中に他者の心が入っており、その影響を受けて個々の脳が大きくでき上がっていって、あるとき自分の中に自分独自の心という感覚を持つようになるということで

す。本当にそれが生まれているかどうかはわからないんですけれども、生まれているという感覚を持つようになる。これが自意識という問題ですが、なぜ自意識が発生するのかもよくわかりません。仮説はありますが、全く実証できないので、わからないということです。しかし、やはり最初に入ってくるのは他者性なのかと思います。自分の心が自分の脳をつくるわけではなくて、他者の心がインタラクションという形で自分の脳をつくり、ある程度つくられていくと、なぜかある時期にこれは私だという自分の心が生まれてくる。この最後のところはわからないんですけどね。

岩間 すごくおもしろいですね。私は津田先生が「心の基本方程式」というものを提示されていると聞いて、そんなものまで方程式になるのかと非常に驚きました。

津田 飯吉先生は全然これに賛成してくれません（笑）。

飯吉 でも、多分こういう形になっているんでしょう。方程式に書けるというのはすばらしいことだと思いますよ。僕は一生懸命これを信じているんですが、要するに宇宙を説明できなければ心の説明はできないんだから、同じように宇宙の方程式も書けるんじゃありませんか。

津田 確かに素粒子の人たちは、よくこういう形で書いて、各項に何々を入れるとマクスウェルの方程式[9]が出てくるとかいうやり方をしますよね。それとちょっと近いようには思います。これではまだ宇宙が出るところまで行っていませんが、何であるかをまだ何も説明していない C や f や G にそれぞれ具体的なものを入れると、具体的なものが出てくるという形にはなっています。

$$\delta \int_0^T \{C(y(x), t) + \mu(x, \dot{x}, t)(\tfrac{dx}{dt} - f(x, \lambda) - G(y(x), t))\} dt = 0$$

さっき言ったように脳神経系はダイナミクスを持っていますから、中でどんどん変化しているわけですね。この方程式は、そういう変化を保存しているんです。エネルギーとかいうものでなく、変化しているとい

う状態が常に保存されていて、つまり、変化し続けることが保存されている式だということです。

岩間 この方程式のどのあたりで何を表しているんでしょうか。

津田 前にある C が外との相互作用です。G の中にも相互作用が入ってダイナミクスが変化しているんですが、外とのインタラクションの中で時々刻々と何らかの拘束条件がついているはずです。さすがに拘束条件が一切ないと式は立てられないので、ある瞬間瞬間に拘束条件があると仮定し、その拘束条件を満たすようにこの括弧の中の式を最小化します。そうすると実際にダイナミクスが生まれてくるということなんですね。

岩間 これにいろいろ当てはめられるということなんですよね。

津田 その通りです。これを個々の問題に適用し、f や G や C を具体的なものにしてみます。例えば、神経回路網のネットワークのダイナミクスでは、入力として外から光や音が入ってくると、ネットワークの中で光や音がごちゃまぜになるんですが、それをある拘束条件を満足するよう外に取り出すと、外に一番近いネットワークの中に例えば視覚情報のあるパターンだけに反応するユニットができてきます。同様に、聴覚情報にだけ反応するユニットも、また別にできてきます。そのように分化し、部品ができてくるわけです。ある種の拘束条件をつけると、入力に応じてそれを処理する部品ができてきて、ネットワーク全体がちゃんとすべての機能を持つものとして働くようになっていくわけです。この段階では、まだ脳になるちょっと手前ぐらいのサブ脳です。

　それから、脳の中には神経細胞（ニューロン）とグリア細胞があり、それが分化しています。なぜ分化するのか、生物学的には細胞分化の仮説があって、それをわれわれは数学的なモデルをつくってやっています。環境からの情報をシステム内に可能な限り減衰させないで伝搬するということを拘束条件にしてこの式をもとに計算しますと、ニューロンのようなものとグリアのようなものが分化していきます。これでニューロンがつくれたと言っても、今のところ誰も信用してくれません（笑）。

飯吉　僕は基本的に心は宇宙であると思っているんです。もしそうなら宇宙の方程式にも合うはずで、われわれには宇宙の方がなじみ深いので、宇宙の現象として説明してもらいたいんですが、それはおかしいですか。

津田　宇宙というとものすごく大きな視点でして、これはそこまで含んでいないんです。ただ宇宙を個体として扱える前提から、類似点を言えば、宇宙方程式みたいなものがあったとして、同じように変分的な形とするなら、初期宇宙の例えばビッグバンという拘束条件のもとで、いつ銀河ができたか、いつクオークができたか、いつ基本粒子ができたかといった議論は可能です。それらが集まったとき、また別の拘束条件のもとである種の生命を生むような環境が生まれてくるというふうに考えていけます。例えば太陽系ができてきたとすると、その中の地球という環境の下で高分子が生成される拘束条件がつけば、ちゃんと高分子が生成されて生命が生まれてきます。そうすると、生命同士がインタラクションを始め、今度は心が生まれてくる。多分そういう形で全体のストーリーができるんだろうとは思いますが、ただ、これはそこまで行っていません。

飯吉　なるほど。まだこれからですね。楽しみです。これはみんな関数関係で出ているので、宇宙のこの部分をあらわしているというような対応がより進んでいけば、ほとんど小さな脳と全宇宙が同じと言っているようなものです。人間というのはすごいんです。

岩間　壮大な話ですね。先生のおっしゃるように宇宙をマキシマムな他者と捉えれば、津田先生のおっしゃっている議論とも絡み合いそうです。

飯吉　僕も決して理解しているわけじゃないんですが、最近宇宙が心であり、心と宇宙には相関関係があると考えています。

津田　そういう集合的な意識があるという可能性はありますね。宇宙に充満している何か。もうここから先はSFになっちゃいますが、そういうものが本来あるのかもしれません。

▶ 研究者になるまでの道程

岩間 今度は少し具体的なお話として、津田先生の生い立ちから、どうしてこういう道に進まれたのかについて、伺いたいと思います。津田先生はご出身が岡山県とのことですが、子供のころはどんなお子さんだったのでしょうか。

津田 なかなか説明が難しいんですが、私はある意味早熟であり、ある意味遅れていました。私が最初に言葉を発したのが、実は生後４カ月半ぐらいのころだったんです。脳科学的には普通１年ぐらいでしゃべり始めることになっているんですが、４カ月半でしゃべったときのことをなぜか覚えていて、それをずっと誰にも言いませんでした。高校生になったころ、親にこういうことがあったのはいつだったかと聞いたら、それを覚えているのかとびっくりされました。生後４カ月半であなたは確かにそう言ったと言われたんですね。内容としては、ミカンで遊んでいたらころころと落ちたので「落ちた」と言い、大人がミカンを拾ってくれたから「あった」と、その二つの言葉だけ言って、もうぴたっとしゃべらなくなり、その後は１歳半ぐらいまで一切しゃべらなかったみたいです。

岩間 それはとても興味深いエピソードですね。落ちる、与えるという行為が「ある」という存在を示す言葉の背景になっているとは、すでに先生は世界をインタラクティヴに見ていたというエピソードですね。

津田 もうそのころからだったのかもしれませんが、自分の中に他者が入ってくるという感覚があって、変な話、外の世界にすごく違和感がありました。先ほどの「落ちた」、「あった」と言ったときには、明らかにそれを見ている"自己"がいました。もう一人の"自己"が自分の身体と一体化していて、「落ちた」、「あった」と言っている。環境と相互作用している方の"自己"が他者性を帯びているという感覚をそれを見ている"自己"は持っていて、しかしそれを制御できない。それも含めて他者の内容に対しても違和感があった。しかし、この二つの"自己"はいつの間にか融合し、統一された"私"になったと言え、その違和感だ

けはぬぐえなくてずっと残ったままでした。ある意味では周りの人間が嫌いだったんですね。別に悪いことをされたわけでも何でもないんですが、何となくうっとうしいという感覚をずっと持っていました。

　生まれてすぐは親の関係で神戸や西宮にいて、幼稚園ぐらいから岡山の実家に戻り、小学校5年生まではそこにいました。野山がありましたから、そのころは外で遊んでばかりいました。

岩間　ご両親はどういった方だったんですか。

津田　親父はちょっと変わった人で、戦争にとられるのが嫌で理系に行き、もとは獣医をしていました。当時は文系に行けば必ず学徒動員だったので、理系に行けば免れるだろうということで獣医学科へ行ったみたいです。でも、あまりおもしろくないからということで高校の先生になり、それも校長とけんかして、最終的には公務員になったんです。

岩間　公務員というのは役所勤めということですか。

津田　税関に入ったんですね。母親は普通の人です。非常に明るい性格で、音楽が好きで、お琴の先生をしていました。子供に対しては全肯定する人です。子供の成長にとってはこの全肯定というのは大事です。大人になったら逆にうっとうしいんですが（笑）。父親はどちらかというと気難しい人でした。

岩間　ご兄弟はいらっしゃるんですか。

津田　弟がいます。弟は僕とは全く反対の音楽の方向へ行き、ライブハウスを経営しています。いろんなタイプを呼ばないとやっていけないらしく、いろいろな人が来るんですが、彼が特に好んで連れてくるのは大体ソウル系の人です。アメリカへ行っては黒人のミュージシャンを連れてきています。

岩間　確かに全然違う方向ですね。先生は子供のころから算数や数学がお好きだったんですか。

津田　算数だけは好きでした。それはなぜかというと、簡単だったからです。小学校のころ、勉強の習慣をつけないといけないからと、机に向かって5分じっとしているよう言われたんですが、実は、言われるまま

にじっと５分間座り、５分たったら遊びに行っていたんです（笑）。そうしたら、そのうち何もしていないことがばれまして、毎月それぞれの教科のドリルを購入され、それをやらなければいけなくなりました。後ろに解説はあるんですが、読むことがあまり好きではなかったので、それは見ずに問題を解くことにしたら、一番簡単だったのが算数でした。本当に楽で、一週間もあれば、あっという間に一学期分が全部終わっていました。終わったらまたじっと座るようにしていたんですが、それなら他にも何かやれと言われて理科もしました。文章を読まなければいけない国語や社会は大嫌いで、とにかく字を読むのが嫌だったんです。数字を見ている方がずっと好きでした。国語や社会に関しては全く奥手で、高校ぐらいでやっと文章が書けるようになりました。それまでは、一行書いては「そして」や「しかし」でつなぐといった感じの文章しか書けませんでした。

岩間 では、その流れで数学をやろうと思われたんですか。

津田 いや、数学は、ずっとやろうと思っていたんですが、高校に入って諦めることになりました。１年生のとき非常に親しくなった友人と、歩いて20分と電車で40分かかる学校への行き帰りの道のりで、計１時間20分ほどほぼ毎日、３年間ずっと数学の話をしたんです。彼はものすごくセンスがあって、これが数学のセンスというものかと思いました。僕の方が問題は解けるので、試験をすれば僕の方がいいんですね。でも、話をしていると、彼の方が圧倒的にセンスがあることがわかりました。それで僕は、これはだめだな、この才能にはかなわないなと思って数学を諦めました。それまでずっと数学をやろうと思っていたので、やることがなくなってしまったんですが、幸いにも２年生で物理が始まり、それがおもしろかったので、合うなと思って物理学科に行ったんです。

岩間 大阪大学理学部ですよね。物理がおもしろくて、大学院でもそのまま物理をなさったわけですか。

津田 そうです。大学のとき、磁性体で世界的に有名な金森順次郎先生の統計物理の講義が非常によかった。金森先生のところへ行って統計物

理をやりたいと言ったら、「うちでは統計物理はやっていないよ、うちなら磁性だよ」と言うんですね。自分は磁性には全く興味がないと言ったら、当時の大学において非平衡の統計物理では東大の久保亮五さんか京大の富田和久さんか九大の川崎恭治さんか森肇さんの４人ぐらいしか推薦できないと言われました。それで、その先生方の論文を阪大の物理の図書室で調べて読みました。学部の４年生ですからあまりわからなかったものの、何となく京大の富田先生がフィットするなという感じがあったので、京大の院を受験することにしました。

岩間　大学院に行ったというのは、研究者になりたいとお考えだったんでしょうか。

津田　研究者になれるかどうかは、よくわかっていませんでした。つまり、周りにレファレンス（参考になるもの）がなかったんですね。医者はいましたが学者はおらず、どの程度のことをすれば研究者になれるのかわからなかったんです。それで、しようがないから自分で試そうと思って、１年生のころから、例えば物理の本でも、まず新しいサブジェクトの最初の10ページか20ページを読んで、その知識だけでどこまで理論展開できるかといったことをしたりしていました。

岩間　大学の１年生でですか。

津田　そうです。１年生から３年生までずっとそんなことを試しながら、式を書いて展開するようなアナリシスが得意なのか、直感的に思ったことが当たっているのか、自分の特徴を見ていったんですね。そのどちらかが得意なら、とりあえず研究者を目指して大学院に行ってみようと思っていました。

　僕の場合、アナリシスもある程度はできて、好きなんですが、当たり前の式展開でしかなく、自分自身ですごいと思うようなアナリシスはそれほどできていませんでした。でも、われながら直感力の方は相当なものだと思えたんです。少し読めば、その先どうなるかを物理的に想像できて、実際に何十ページ読み進めてみると大体そうなっていました。先が読めれば、あとはそれを式で埋めればいいだけの話なので、直感力が

あり、式展開しなくてもちゃんとわかるなら、これは研究者に向いているのかなと思ったわけです。

岩間　京都大学の大学院に入られ、そこでそのまま自分が思ったような研究ができたんでしょうか。

津田　まあそうですね。ただ、非平衡の統計物理というのは逆に雲をつかむようなところがあって、富田先生にこういうことをやりたいと言うと、それはちょっと難し過ぎるんじゃないか等々いろいろ言われ、ある化学反応系の数学的なモデルをつくる段階でやっと同じ意見になりました。ただ、それをやっているうちに自分たちのシステムでカオスの問題が出てきまして、そちらへわーっとのめり込んじゃったんですね。しかも、カオスの論文を読んでみると、そのほとんどが数学で、物理の方では理論がありませんでした。実験のエビデンスなら、物理や化学や生物からも結構出ていました。地球物理の地震の話や、プラズマの不安定性もまさにそうで、実験的なものは出たと言っても、それを説明できる理論が物理の方ではまだ確立されていなかったんです。

　それで、関係する力学系という分野の論文を読んでいくと、1950年ぐらいまではある程度さかのぼれた。全部数学だったので、そこで自分がいったん諦めた数学をやらざるをえなくなり、これはしようがないなという感じでした（笑）。数学は好きでしたが才能もないので、そのときも数学者になろうとは思っていませんでした。そのまま物理でやっていくつもりだったのに、カオスや脳をやっているうちになぜか世の中が変わり、私のしているような分野を数学で研究する時代が来てしまいました。応用数学という分野は古くからありましたが、ありきたりの応用数学でなく、既成の応用数学をちょっと変えてくれる人が欲しいといくつかの大学も考えるようになったんですね。

　それで、北大の数学科が特に応用数学系でそういう人がいないかということで公募を始めたとき、昔たまたま私のカオスの講演を名古屋大学で聞いた人が北大の数学科の教授になっていたんです。

岩間　何という方ですか。

津田　儀我美一さんという方です。非常に優秀な偏微分方程式の若手で、人を介して、ぜひ応募してくれと言ってこられました。この紹介者こそ、院生時代から親しくしていただいていた京大数学科の山口昌哉先生のお弟子さんの西浦廉政さんだったのです。西浦さんともずっと親しくしていただいていて、彼が紹介者ならやってみるかと乗り気になりました。それで、それを機に調べてみたら、北大の数学科には大学院のとき私の隣の研究室にいた５年ぐらい先輩の方が教授として行っていたんです。物理からも数学教授になっていたんですね。ただ、彼は、物理とはいえ物理教室には一切寄りつかず、数学の方にばかり通っているというような数学のできる人でした。彼は数学ができる一方、私は単に数学が好きなだけでしたが、まあそういう人がいるということも一つありました。

　それから、数学には確率論というのがあって、それはサイコロを振ったりすることの基礎を固める分野なので、カオスとも関係があったんですね。カオスは決定論なのに予測できないランダムな振る舞いが出ますから、ランダム現象を扱う確率論の先生方がちょうど興味を持ち始めていたんです。それで、北大におられたもう一人の教授が僕の論文を読んだことがあったそうで、津田君ならぜひと言ってくれました。

岩間　それで北大数学科で教えられることになったのですね。

津田　物理出身で数学の証明の論文を書いていない人間を数学科の教授にするのはいかがなものかという反対の意見も当然あったようですが、応援団を３人得まして賛成の意見が通り、北大の数学科に行くことになったんです。

岩間　カオスや複雑系というのは今でこそ確立された学問ですが、津田先生はパイオニア精神を持ってその道に進まれたんですね。ウィキペディアにも津田先生は複雑系の先駆者と書かれています。

津田　最初に始めたうちの一人ではあるんでしょうね（笑）。

▶ 現在の研究と趣味

岩間　現在は中部大学でどういった研究をされているのでしょうか。

津田　いろいろありますが、一つは、まさに心の方程式の応用です。実際には渡部大志助教など若い人が計算して、中部大に来て具体的なモデルを二つ出しています。さっき言った神経細胞（ニューロン）のものと視覚細胞や聴覚細胞のもので、どうして分化するのか、この式をベースに数学モデルをつくってやっています。

　この数学モデルでは、計算のところだけ今はやりのAIの一つを使っています。対話型のものでなく、あれを支えている中身ですね。なぜAIが学習できるのかというと、あるニューラルネットの数学モデルがありまして、結合のところを拘束条件に応じて変えてやると、本当に学習させたいものを学習していくという構造を持っているんです。あまりパフォーマンスがよくないとの世評に反し、実はすごくいいということがわかってきたので、それを使っています。実は今私がかかわっているCREST（クレスト：Core Research for Evolutional Science and Technology）[10]のプロジェクトの中で阪大のグループと共同でやった中からパフォーマンスの非常にいいものができています。

　それからAI数理データサイエンスセンターの方では、新潟大学の非常に有名な脳研究所の小野寺理所長のグループと共同研究をしています。北大にいるときに私のところでドクターを取った若手が今中部大学へ来ています。彼にJSTの未来社会創造事業というプロジェクトに出せとけしかけ、僕が研究分担者となって出したら通ったので、それを始めて今1年と少したったところです。彼はあっちへ行ったりこっちへ行ったりしているんですが、ここへ来る直前は沖縄科学技術大学院大学にいて、全脳モデルという、要するに脳全体を数学モデルで再構成しようというプロジェクトに参加していました。

飯吉　どなたですか。

津田　塚田啓道准教授です。認知症の原因として、アルツハイマーの場合、アミロイドβというたんぱく質がたまるからという説がありまし

て、それをやっつける薬を飲めばアルツハイマーが治るだろうということで、先日アメリカがそういう薬（レカネマブ）を承認しています。ところがこれが大問題で、今の段階でそんなことをしてはまずいからと二人の先生がその委員会を脱退するぐらいなんです。アメリカはとにかく少しでも治るならということで舵を切ったんですが、われわれはそういうことでは根本的な解決にならないと考えています。

アミロイドβに限らず、いろんな悪さをするたんぱく質は一般にたまっていくものなんですね。たまるんですが、普通は排除されているんです。今われわれの脳の中でもそういうことが起きています。悪いものが生まれても全部取り除かれていくので、通常は問題ないということなんです。ただ、それを取り除く機能がだめになると、たまるばかりになってしまう。では、その機能とはどういうものなのか。そういう点について調べています。

飯吉 現時点ではどのように見てるんですか。

津田 一つの仮説として、老化を起こすとその機能がなくなるというものがあります。現象論的にはどうもそのようなので、そこに一つ作業仮説を置きましょうということになっています。老化物質を総称してSASP（細胞老化随伴分泌現象：サスプ，senescence-associated secretory phenotype）と呼ぶんですが、SASPがたまるとなぜか排せつ機能が悪くなるわけです。では、ためないようにするにはどうしたらいいのか。まだメカニズムはわかっていないんですが、その問題に対して数理的な観点から数学モデルを使って何かサジェスチョンできないかということで、われわれと臨床系の先生方と一緒に研究を進めています。これが二つ目です。

もう一つは、前からやっている新学術領域研究[11]のプロジェクトとのつながりで、京大病院のてんかんの専門家の池田昭夫教授のグループと一緒にてんかん患者の脳波を解析し、なぜ発作が起こるのか、発作時の脳波データに数学的な特徴が見えるか見えないかといったことをしています。それで見えてきたことがさらに二つぐらいあります。まず、カ

オスになりたいんだけどなれないプレカオスのようなものが出ると大発作になるということがありました。それをディテクト（探知）すればバイオマーカーになります。残念ながらこれは数秒前ぐらいにしかわからないものだったんですね。今一つつかみつつあるのは、30分位前からシグナルが出ているようなので、それを確定しようとしています。

　大きなものではその三つですかね。あとは私の趣味でいろいろやっています。

岩間　趣味といっても、関連したことをされているんですよね。

津田　趣味は、変な論文を読むことです（笑）。

飯吉　数学関係ですか。

津田　数学に限らず、物理、脳科学、心理学などの、できるだけ昔の論文です。それは昔の先生方の方が変なことを考えているからです。今の人は常識的なことしか論文にできないんですが、昔はとんでもないものが論文になっていたりするんです。今は皆さん、点数を上げたいから、インパクトファクターの高いところに出そうとするでしょう。そうするとトンデモ論文がない。引用数が多い論文とかインパクトファクターが高い雑誌のものはそれほどおもしろくないんですね。昔の論文をさかのぼって見ていると、なぜこんなことを考えたんだろうと。

飯吉　どんなものがあるんですか。

津田　今凝っているのは、ノーベル物理学賞をもらった南部陽一郎さんが70年代に書いた論文です。ウィリアム・ローワン・ハミルトン[12]という人が最初に考えたハミルトニアンというエネルギーを表現する演算子がありまして、エネルギーを一つの演算子のような形で書くと、普通物理系ではハミルトニアンは１個なんですね。エネルギー保存だと１個しかない。でも、南部さんは、それをなぜか２個の微分の外積みたいなもので定義しているんです。３次元だとハミルトニアンが２個、ｎ次元だとn-１個あるとし、それぞれの擬ハミルトニアンのグラディエント（ベクトル解析におけるスカラー場の勾配）の外積で力学が書けると論じています。

飯吉　実際そうなんですか。

津田　やってみると、書けるんです。

飯吉　天才ですね。

津田　本当に天才です。ちゃんとリウヴィルの定理[13]は満たすんです。ですから、保存力学系なら正しいんですが、そのハミルトニアンの意味がよくわからない。試しに最初に言われた流体のカオスの方程式にちょっと適用して計算してみたら、散逸項を入れれば合いました。

飯吉　大したもんだ。

津田　楕円体と放物面がクロスして、その境界面が実際の運動なんです。その境界面に沿った運動が出てくる。ですから、切断面、接触面も変化していき、それが実際のハミルトン力学を解いたときの軌道になっているんです。

飯吉　どれかに相当する。

津田　はい。なぜそんなことを考えたのかよくわからないのにすごいですよね。そういう発想の論文は、今は多分ないでしょう。レフェリーがリジェクトします。

　それから1880年に創刊したAAAS（American Association for the Advancement of Science：アメリカ科学振興協会）の機関誌で『サイエンス』という雑誌があるのはご存知でしょう。私は会員なので第1巻からずっとアーカイヴを見られるんですね。それで、おもしろそうなものがあるとPDFにして暇なときに見ているんです。その2回目か3回目に、われわれのヒーローの一人、電磁気学を数学にしたマクスウェルという人が変な数学の論文を投稿していました。要するに双対定理といって、点を線に、線を点にという操作をいくつかしていくと多角形がどのように変形するかというようなことを延々とやっていました。その後には何の発展もなく、ぽつんとその論文だけがあり、パタッと終わっているんです。そもそもなぜ彼がそんなことを考えたのか、ちょっと興味があります。当時もうマクスウェルは電磁気学をつくっているので、その話かと思ったら違うんです。電磁気など一つも書いていませんでした。双対定

理を一生懸命やっている。

飯吉　おもしろいですね。

津田　それも具体例ばかりで一般論は何もないんです。こういう例の場合はこうだと三つぐらい出し、そのそれぞれはきちっと証明しているんです。一般論でなく事例研究をしていました。

飯吉　そういう時代風潮があったんですか。

津田　いや、アーカイヴを全部見ても、全くそういう風潮ではありません。突発的にそういうことをしていて、もう電磁気を確立しているマクスウェルのような人が、その時点で全く違うことを考えていたというのがおもしろい。

飯吉　そうでないと新しいものは出てこないんですね。

津田　そういう昔の変な論文を読むのが趣味です。仕事にはなりませんが（笑）。

► 理工学研究の現在と未来

岩間　最近の人たちはインパクトファクターにこだわって論文を書くというようなことをさっきおっしゃいましたが、今の日本のいわゆる理系研究の現状をどのようにご覧になっていますか。

津田　おもしろくなくなっているような気がしますね。研究というのは、やはりロジカルにわかるものだけではだめなんです。もちろん最終的にはそうでないと論文にならないにしてもロジカル一辺倒の論文はつまらない。何か飛び出しがないといけません。すごい論文というのは、数学でさえ飛び出しがあるんですね。なぜそうなのかはわからないけれど、でもそう仮定するとうまくいくみたいな、アイデアや発想の自由さすごさがあるんです。最近は論文にそういうものがだんだん見えなくなってきています。

　昔は、別に天才でなくとも、おもしろい論文を書く人がいました。でも、インパクトファクターの高さ云々となると、そういうものは載らなくなってしまいます。レフェリーが厳し過ぎて、ちょっとでも飛び出し

があると、なぜだということで、こういうわけのわからないことを書いてはだめとリジェクトされてしまうんです。ピアレビュー[14] はいつの時代も同じはずなので、今のレフェリーの能力が低くなったというよりも、むしろ時代のプレッシャーなんだろうと思います。昔は「別にいいんじゃない。どうせ本人の責任なんだから、最後は本人が責任をとるでしょう」で終わっていて、そんなぎちぎち直しませんでした。でも、今は制度がすごくうるさいですよね。

飯吉 そうですよね。未来に対する展望が足りません。皆さん、そういうことをあまり考えていないんじゃないかな。

岩間 文系の学問の場合でも査読制度が整備されて採用や昇進とリンクして以降、学問が劣化したとよく言われています。

津田 「展望」とおっしゃいましたが、まさに個人個人がすごく展望を持ってやっていれば、とんでもない発想が出てくるはずなんです。でも、今はそれだと論文になりません。とんでもない発想をすると、そんなことは書くなと抑止されます。

飯吉 今のジャーナルはそうなんですか。

津田 そうです。おもしろくないんです。

飯吉 だったら大学で出せばいい。中部大学からすごいものが出ているねということにしましょう。

津田 昔は、例えば京都大学で湯川さんのノーベル賞を記念してつくった Progress of Theoretical Physics など、わからないがとにかくおもしろそうだというものをとりあえず載せておくところがあったんです。

飯吉 それでやっていってください。僕がそうしたジャーナルを復活したいくらいです。要するに、未来というのはわからないんですよ。未来のことを書こうとするとき、わかることを書いたら、もうそれは未来にならない。その辺がどうしてわからないのかな。津田先生のおっしゃる通りです。

岩間 津田先生は大学院時代、就職があまりなかったから、もういいやという感じで斬新な発想ができたと言われました。今は理系に限らず、

研究者の就職がかなり厳しくなっているために、逆になかなか大胆なことができなくなっているという部分もあるのではないでしょうか。とにかく査読に通って「手堅い」成果の本数を稼がないといけないからです。そして査読に通るためには津田先生のおっしゃる「飛び出し」は厳禁になってしまっています。

津田　若い人はみんな真面目過ぎると思います。人生を捨てるぐらいのつもりでやった方がいい。捨てればまた浮かぶことができますし、覚悟を決めれば何らかの迫力が出てくるんです。そうすると、かつて飯吉先生が私を見てくださっていたように、われわれ年を取った人間はちゃんと見ていて、おっ、こいつはなかなかだなと。やはり迫力ある人というのは目立ちますからね。

岩間　なるほど。

津田　それぐらい思い切って捨てないといけません。適当に就職しようなどと思っていたら、やはり難しいんじゃないですか。

岩間　「任期が～」、とか考えていてはだめということですね。

津田　そうです。任期も忘れてやっていると、任期の方が勝手になくなっていくんです。

岩間　それはさっきの複雑系の話を踏まえて聞くと、とても心に響くお言葉です。

　これからの日本の理工学研究において、大学の役割としてどういったことが考えられるのでしょうか。

飯吉　未来を先取りしないと、大学の使命は半分ぐらいになってしまう。これは難しいことですが、それでもやはり未来がどうなるのかを先取りしようという気概がないと、学問の進歩はないんじゃないかと思っています。津田先生、どうですか。

津田　全くその通りです。未来は不確定で、不可能性と可能性が渾然一体になっているわけですが、そういう中でもわれわれは何か予測しなければいけません。ただ、人間や動物は必ず予測して行動するものの、行動して予測するという側面もあります。まさに不言実行でして、実行す

ることによって見えてくる、実行するから予測できることもあるわけです。

飯吉 実行しないと出てこないことがいっぱいあります。

津田 そうなんです。まさにそのとおりで、実行すると局面が変わります。局面が変わると、そのライン上にふわっと見えてくるものがあるはずなんです。そういう方法を残していき、もちろん学生たちにも伝え、世間にも発信していくことが大学の使命なんじゃないかと思っています。

飯吉 それと、人類の知性のすばらしさを示していくだけでなく、その学問の発展が世の中の倫理観や道徳観など、要するに真善美における進歩につながるのかどうか。みんなあまりそういうことを考えないでやっていますが、大学の使命の一つとして、やはり自分のしていることが今の世の中をよくすることに寄与しないと、自然科学といえども責任を果たしたことにならないと思うんですね。

　というのも、例えば原子核の研究をするのはいいんですが、原子爆弾をつくったりするのが大学の役割としていいことなのか。もし何らかの危険性があるんだったら、それをちゃんと予測して、そのためにはこうすべきと意思表示できるようにしなければいけません。大学の研究者の責任として、そこまで考えて未来を先取りし、学問に入れていかないと、どんどん宇宙が壊れていく可能性があります。

津田 責任問題というのは、やはり大きいと思います。ちょっと突飛な発想ですが、さっき言ったように、カオスは決定しているが予測できないという変な性質を持っているんですね。予測できないということは、未来永劫ずっとその軌道に添い続けないといけなくて、どこかでそれをやめると、とんでもない方向に行ってしまってわからなくなるわけです。つまり、いわゆるニュートン的な決定論なら、初期値を決めてしまえば、あとはもう先がわかっているので、未来永劫つき合う必要はないんです。カオスのようにある程度は予測できるといった場合、ずっとつき合っていかなければいけない。先が読めないために責任問題が発生し

ているんだと思います。

飯吉　ユニークソリューションでなく、場合によっては軌道修正も必要ということですね。

津田　まさにそうです。ですから、責任問題はすごく大きいと思いますし、また、そう感じる良心を発信できるのか。「良心（conscience）」というのは con と science から成っていて、con は「ともに」ですが、「ともに科学をする」ということではないんですね。心の中に湧いてくる邪悪なものもいいものもすべてひっくるめてというのが con で、料理して形にしていくというのが science ですから、要するに、すべてひっくるめて形にしていくもととなるのが「良心（conscience）」なわけです。そういうものを大学が発信していけるのかどうか。それは、さっき飯吉先生が言われた、きちっと責任をとれるのかどうかということにもなります。

飯吉　特に最近は、科学だけに終わらせず、それを技術につなげることが使命だと思っている人が多くいて、しかも実際にいろんな技術で未来へ行けます。でも未来に対するインテリジェンスが今ほど要求される時代はないんじゃないでしょうか。今までは、いろいろ予測したり想像したりしても、実際には何もできなかったから安心していられたんですが、もう何でもできてしまう時代に近づいているので、それを発展させたらどんな世の中になるのか、やはり未来を先取りしないといけません。

　自然科学と技術の運命として、われわれが専門家の集団になってしまって、お互いに自分のテリトリーを決め、相手のことなんかあまり考えないということでは、非常に危険な世の中になります。まだ技術がないときは何を考えていてもよかったんです。今や技術も進んでしまっているから、何でもできてしまうんですよね。

津田　今のAIもそうですね。

飯吉　AIは本当に気をつけないといけません。

津田　進歩が速過ぎる。論文の洪水で、しかもAIの中で本当に何が起

こっているのかあまり解析できていません。

飯吉　未来は不確実にせよ、今われわれが未来まで考えて研究しないといけない。そこまでが責任です。未来のことなんて知らないよ、僕らに責任はないよ、それは後の人たちが考えればいいんだよということは言えない状況になっているでしょう。自分たちの理論なり技術なりが進んだらどういう世の中になるのか。よくなる方はいいんですが、悪い方へ行ったときどういうことになるのか。そこのところを読み込み、それに対する考えをちゃんと持っていることが、われわれ研究者なり学者の責任になるんじゃないでしょうか。

津田　専門家である以上、やはりわかる部分はあります。でも、だんだんそういうことを発信しなくなりましたね。

飯吉　ちょっと危険ですよね。ここで心が問題になるわけです。最後は何が歯どめになるのかというと、やはり心なんじゃないでしょうか。宇宙と一体となった心が決めるんじゃないか。そこから外れると、世の中はがたがたになってしまいます。

津田　確かに昔の時代の人は、湯川秀樹さんなんかでも「私の宇宙観」とか「私の世界観」という言い方をしましたよね。

飯吉　そうですね。今の人は言いません。

津田　「地球観」とか言っています。

飯吉　僕が「宇宙観」とか言うと、そんなことわかりっこないじゃないかと言われます。でも、それでは無責任だと思うんですよ。みんな素人の集まりで、誰にも止められないんですから、やはり先取りして考えないといけない。学者や研究者は幸いにも少し先まで読めるので、そういう人たちは、やはりそこまで読んでやらないといけないんじゃないですか。ですから、責任は重いと思います。

岩間　目の前でなくそれより先の人間と社会を問う。そこが大学の責任でもあり、大学における理工学研究の未来を考える場合にも、そういったところが大事になってくるということですね。

飯吉　研究者がちゃんと道徳観や倫理観を持っていないと危ないんで

す。専門のことをある程度知っていないと、近未来の考えすら出てこないでしょう。専門家には、専門に基づいた道徳観なり倫理観が要求されるんだろうと思います。何でも好きなことをやればいいという話ではなくて、そこまで考えて研究しなきゃいけないから、住みづらい世の中にはなっています。

岩間　本日は大変興味深いお話を伺いました。どうもありがとうございました。

津田一郎（つだ・いちろう）
1953 年生まれ。大阪大学理学部物理学科を卒業し、1982 年に京都大学大学院理学研究科物理学第一専攻博士課程修了。九州工業大学情報工学部知能情報工学科助教授、北海道大学理学部数学科教授などを歴任し、2017 年より中部大学創発学術院教授。2022 年より創発学術院院長。

注
1)　Fischer Black（1938 〜 1995）　アメリカの数学者。金融工学を開拓し、ブラックの考案したオプションの価格方程式はショールズによって完成される。
2)　Myron Scholes（1941 〜）　カナダ出身の経済学者。1997 年にブラック＝ショールズ方程式を理論面から完成させたロバート・マートンとともに、ノーベル経済学賞を受賞。
3)　比例配分選挙などに使われる手法。得票数を自然数（1、2…）で割ってゆき、その商の上位順に議席を割り当てる。例えば 1 で割った商と 2 で割った商を比較して後者の数値が高い場合、後者の被選挙者（政党）に議席が配分される。ベルギーの法学者ドント（Victor D'Hondt, 1841 〜 1902）の名前に由来する。
4)　ヘリカル型は核融合炉のプラズマ閉じ込め方式の一つ。ドーナツ型の放電管にコイルを螺旋状に巻き付け、そのコイルに電流を流してできた螺旋状の磁場を使ってプラズマを閉じ込める方法。
5)　サンタフェ・インスティテュート（Santa Fe Institute）は、1984 年にアメリカのニューメキシコ州サンタフェに設立された非営利組織。複雑系研究の世界的中心地である。
6)　Ilya Prigogine（1917 〜 2003）　ロシア出身でベルギーの化学者。非平衡熱力学の分野でよく知られ、1977 年にノーベル化学賞を授与された。
7)　Hermann Haken（1927 〜）　ドイツの物理学者。日常語化した「シナジー効果」はハーケンの提唱によって広く知られる。
8)　境界条件とは、限られた領域内での物理現象の起こり方を、その領域と周囲との境界において規定する条件。

9) 電磁波の記述に関する基礎方程式。ジェームズ・クラーク・マクスウェル（James Clerk Maxwell, 1831 ～ 1879）の発見に因む。
10) CREST は、独立行政法人科学技術振興機構によって実施されている競争的資金「戦略的創造研究推進事業」のうち、チーム型の研究課題を支援する事業。
11) 新学術領域研究は、独立行政法人日本学術振興会が実施する科学研究費助成事業の種目の一つ。新たな研究領域を設定して異分野連携や共同研究、人材育成等を図る大規模なグループ研究を対象とする。
12) William Rowan Hamilton（1805 ～ 1865）　アイルランドの先駆的物理学者、天文学者、数学者。語学の天才としても知られ解析力学の開拓者でもある。
13) リウヴィルの定理とは、ハミルトン力学において位相空間の体積要素は時間変化しないという定理。
14) ピアレビュー（peer review）とは、学術雑誌や学会誌などに投稿された論文を、同じ研究分野の研究者（peer：同僚）が評価すること。

入門するキミに
―カオスへの誘い―

　私の研究は「カオス力学を基軸とした複雑系脳科学」の研究です。この研究の精神をうまく著した先人の言葉があります。私自身が意識した順に言いますと、紀元前4世紀ころに中国で活躍した荘周（荘子ともいう）とその弟子たちが編集した『荘子』という本の中にある「渾沌」の話です。「渾沌」は現代では「混沌」とも書きますが、まさに「カオス」のことです。"むかし中央の国の帝であった「渾沌」が南北の帝「儵」と「忽」を招き歓待した。このお礼に何がいいかと儵と忽が相談した。渾沌の顔には人の顔にある7つの穴（目、耳、鼻、口の穴）がない。そこで、お礼に渾沌の顔に一日一つずつ穴をあけていった。7日目に渾沌は死んだ"というお話です。これが高校生くらいからずっと私の精神的支柱になっています。分析できないものが世の中にはある。分析すると真実が見えなくなる物事が存在する。一見科学研究とは相いれないように見えるかもしれませんが、科学の神髄は実はこういうものをも研究するというところにあるのです。実はわれわれが研究対象にしているカオスはこのような不可能性という性質を持っているということが数学的に証明できるのです。次に研究者になってから知ったのが、平安時代から鎌

倉時代にかけて活躍した鴨長明の『方丈記』の一節です。「行く川のながれは絶えずして、しかも本の水にあらず。よどみに浮ぶうたかたは、かつ消えかつ結びて久しくとゞまることなし」。これは世の中常に変化するものだと言っています。迂遠な言い方になりますが、常に変化するということ自体は変化しない（不変）ということです。

　おもしろいのは川の水の流れとカオスはいろんな意味で関係しているのです。すでに流体にはカオスが潜んでいることが明らかになっていますが、ここでは少し違う観点から見てみましょう。川の流れに横断する断面で川の流れを見てみましょう。その断面を通過する水分子は常に異なった水分子です。同じものは一つとしてありません。時々刻々と異なる水分子がその断面を通過していきます。しかし、「川の流れ」としてみたときは、同じ流れに見えます。何日も何ヶ月も、あるいは何年も同じ流れに見えます。多少どこかが変化していても流れとしては同じ流れに見えるのです。カオスも、少し離れた初期値から出発した軌道は時間とともに大きく隔たり、同じ場所には二度と戻ってこないのですが、このような軌道すべてからなる束を「流れ」としてみたときには時間がたっても同じ流れがそこにある、というものなのです。エルゴード性とも言います。この「流れ」自体をつくっている土台になるものがカオスアトラクターです。カオスアトラクター自体は時間とともに変化せず不変で、これが逆に常に変化するものを生み出す源になっています。

　カオスを発見した一人である気象学者のエドワード・ロレンツ*（Edward N. Lorenz）先生はバタフライ効果（Butterfly effect）という言葉を編み出しました。北京で蝶々が羽ばたくとニューヨークが嵐になる、という意味です。これはカオスを比喩的に表したもので、ほんの少しの揺らぎが爆発的な影響を与えることの例えで、今日カオスを象徴する言葉になっています。またこのカオスの研究は2021年度のノーベル物理学賞につながりました。この年の物理学賞は「複雑物理系（複雑系物理学）」に与えられました。

　私はカオスを複雑系としての脳と心の問題に適用して研究してきました。記憶、推論、幻覚、機能分化などのダイナミックな神経機構に関す

る数学モデルを構築して、これらを統合することで心の数学表現（変分方程式）を提唱しました。その過程で生まれた概念がカオス力学系の研究に跳ね返り「カオス遍歴」という数学的に新しい概念を生み出しました。全く異なる分野を行ったり来たり遍歴し常に変化していると何かが脳のなかに創発する経験をしてきました。これは何物にも代え難い経験だと思っています。キミにもそんな経験をしてもらいたいと思っています。

> ＊多くの出版物では「ローレンツ」と表記してあるが、Lorenzという綴りの名前は通常第二母音にアクセントがあり「ロレンツ」と発音するので、表記も「ロレンツ」が良いと思われる。また、Lorentzは第一母音にアクセントがあり「ロオレンツ」と発音するので「ロー」と伸ばしたように聞こえる。表記も「ローレンツ」が適切だと思われる。Lorenz先生にお会いした時、ご本人が発音は「ロオレンツ」ではなく、「ロレンツ」だとおっしゃったので、表記は「ロレンツ」とすべきだろう。

放射線から見える自然の世界

中西友子

▶ 「絶対に理系に行け」

岩間 本日はよろしくお願いいたします。

中西先生は本学園の外部理事や学事顧問をしてくださっていますよね。飯吉先生とは、いつからお知り合いになられたんですか。

中西 かなり昔からでして、今から数えると、多分もう2、30年前になりますか。飯吉先生はいろいろな会議の委員長をされていましたし、放射線関係の見識も非常に幅広いので、教わることばかりです。

飯吉 とんでもない。丸の内のホテルのロビーでよく打ち合わせをした記憶が鮮明に残っています。

岩間 そうだったんですね。

中西 ITER（→p.38参照）のプロジェクトを提唱され、それはカダラッシュ[1] できちんと続いて発展してきていますし、少し前にも文科省でまた新しくミュオン核融合をやりたいとおっしゃっていて、やはり情熱は

ずっと持ち続けるものだなと感じています。

岩間　普段の理事会など以外でお話しされる機会はあるのでしょうか。

飯吉　どういうわけか、よくありますね。こういう表現でいいのかどうか、類は友を呼ぶで、何となくお会いしたくなるんです。それで、東京へ行ったときは東京駅の近くとか、もちろん名古屋へ来られたときも、一緒にお食事をしたりということがあるんです。今は理事をお願いしていますし、本当に中部大学に貢献いただいている大切な先生です。

中西　一緒にお食事をしていて気がつくのは、飯吉先生はとても健啖家でしかも召し上がるのが速いのですね。私は遅いものですから、追いつくのが大変。

飯吉　申しわけありません（笑）。

岩間　それはおもしろいですね。本日もいつもの感じのお二人を拝見できればと思います。

　先ほどは、中西先生が日本アイソトープ協会のISOTOPE NEWS（2023年6月号）に書かれた「私の履歴書」をいただきました。以前にも『テクノロジストマガジン』（2020年4月号）に掲載されたインタヴュー記事を拝見いたしました。そこでも書かれていましたが、中西先生のお父様は、戦時中に満州でお医者さんをしておられたんですね。お父様は満州のどちらにいらっしゃったんでしょうか。

中西　奉天です。

岩間　飯吉先生も満州にいらっしゃいましたね。

飯吉　私も奉天で、それから新疆に移り、終戦はそこで迎えました。子供時代は奉天でしたから、中西先生のご家族とは何らかのつき合いがあったかもしれません。敗戦後に引揚げられたわけですか。

中西　はい。私はまだ生まれていなかったのですが、ソ連兵が来て、2時間以内に出ていけと言われ、とにかく急いで皆、家から出なければならなかったそうです。終戦後の満州は怖かったという話を母から頻繁に聞きました。父は医者の免許を持っていたおかげで日本に帰ってから食いつなげた、だから理系で資格を得ればそれは剥奪されないからいつも

「絶対に理系に行け」と言っていました。

岩間 いつどこで追い立てられても食べていけるように、女性でも手に職をと子供のころから言われていたんですね。

中西 「絶対に理系に行け」と、とにかくそればかり言われました。

岩間 お姉様もいらっしゃるんですよね。

中西 はい。姉は二人とも主婦です。一番上は、反発してか、美術・芸術の方へ進みました。

岩間 中西先生はお父様の期待通り実際に理系の道を歩んでこられたわけですが、子供時代から理系の勉強がお好きだったんですか。

中西 医者をしている父が間近にいましたから、横から仕事場をのぞいてみたりはしていました。患者さんに対しては、風邪をひいた人には暖かくして寝ろと、それしか言っていないのですが、皆いやに納得して帰っていくんですね（笑）。それほど理系の仕事という感じはしなかったのですが、いろんな薬はありましたし、金庫の中には厳重な管理の下、麻薬も保管していました。末期の人にはこれを使うのだとか、麻薬の中でもモルヒネが一番痛みをとるのだとか、薬についていろいろな話をちょこちょこ聞かせてもくれました。

岩間 そういったことが理系の研究の道を志される大きな要因になったんですね。

中西 そうです。もう一つ、若いうちに観光でもいいから一度外国を見ておけと言われて、3人とも大学に入ったら1カ月ぐらい旅行に出してくれました。団体のツアーみたいなものですが、いざというとき危険を察知できるように、海外を知っておかないと、と思ったのでしょう。きっと両親は、満州から日本に引き揚げてからもよほど緊張感が抜けなかったのでしょう。

岩間 中西先生はどこの国に行かれたんですか。

中西 私は大学院のころ、ヨーロッパの10カ国くらいを各々3日間ほどかけて回りました。

岩間 何か印象的な出来事はありましたか。

中西　おなかを壊しました（笑）。ですから、行って戻ってくると、日本が一番いいなとわかったのですよね。どこへ行き何を食べて楽しく遊んできたとしても、やはり日本が一番いいなと思いました。

岩間　大学受験はちょうど1969年で、例の東大入試が中止になった年なんですよね。それもあって立教大学の理学部に進学されたのですね。

中西　ええ。私の高校の同期生は普段とは異なり、多くは１年待って東大に行ったのです。それでも男子学生は次の年に受験すれば良かったのですが、女子学生にはすっかり進路も変わってしまった人もいました。結局、次の年、同級生の半分ぐらいは東大へ入りました。私は浪人する気はなかったので、家から歩いていける立教大学へ行きました。最初の年は授業も全くありませんでしたし、そのころは、大学のあとに大学院に行くなんてあまり思っていませんでした。

▶ 伸び伸びとした学生時代

岩間　そこから大学院に進まれたのはどういう理由だったのでしょうか。

中西　東大に行った同級生の友達が、頼みもしないのに、うちではこういうのを使っているんだよと言って、数学から物理から、自分たちが使っている教科書などを送ってきたのです。「これからは女性でも大学院へ行くべきだ。４年の終わりには試験があるから受けた方がいいよ」と勧めてきました。結構仲がいい子だったのに、惜しくも若くして亡くなってしまいました。あと、語学もしないといけないと考えて、初めてのドイツ語も一生懸命やりました。

　あの時代の同世代の女友だちが進んだ道は結構ユニークでした。当時、珍しかったのですが、例えば女のロマンを追いかけると言って、山小屋の番人になった人がいます。彼女はその後陶芸家と一緒になり、ご自身もその道に進まれたようで、朝日新聞に女性陶芸家として写真入りで載った記事を見たものです。また、とても優秀なある女子生徒で現役で東北大に受かったのに、学生運動にはまるといけないからと親が行かせないようなケースもありました。

岩間　日本社会は戦後もずっと古い価値観を維持していましたから、時々そういった話を聞きますね。

中西　当時、女性は親が家から出そうとしなかったので、下宿させなかったケースも多くありました。親は、世間慣れしていない箱入り娘などは学生運動に誘われたらまずいと思ったのでしょう。でも、東北大学に行けなかったこの人は惜しかった。まだずっと働いてはいますが、本当はもっと別な人生もあっただろうと思うのです。

　あの時代に女性の行ける大学はあまりなく、ミッション系は学生運動が始まるのも少し遅かったし、立教大学に決めました。10分もかからずに家から歩いて行けるので、お昼になると必ず帰って家で昼食を食べていました。

　考えてみると極端な話ですが1年おきに東大の入試がなくなってもいいのかもしれません。特に私の年では、京都大学には前の年の最高点でも入れなかったとか、あの年に東工大へ行った男子の中では普段よりも格段にすばらしい成果を出した人もいます。どうしても東大にこだわる人は浪人して翌年入ればいいのですからね。

岩間　東北大も、あの年に行った人はすばらしいと言いますよね。

中西　クラスにいた政治家の子などは「僕は東大へ行って大蔵省へ行かないと政治家としての将来がないから」と言って現役受験を止めてスキーに行ってしまいました。次の年に東大に入学し、今では結構偉くなっています。昔は今と違って皆さんすごく血気盛んで非妥協的だったのですね。

岩間　今では最初から自分に限界を設けて妥協しがちですね。

中西　現代日本ではそうですね。韓国では今でも若者がわーっといろいろデモをしたりしていて、何を言っているかはさておき、元気なのはいいなとも思います。

　話を戻しますと、結局大学院は、友達がとにかく受けろというので受けた感じもなきにしもあらずながら、大学入学後の学部1年生では授業そのものが全くなかったことも大きな影響があったと思います。

岩間　それは学生運動でということですよね。

中西　そうです。お昼に必ず家に戻ってこいというのは、今考えたら、学生運動に染まってしまうと困ると思ったのでしょうね。1年生は授業も含めすべてシャットダウンでしたが、2年生になって授業がばたばたと始まり、3年になったら実験も始まり、次の年はもうすぐ大学院の試験だという感じでした。あのころ立教の理学部化学科の学生数は40人でした。今は随分異なっているのでしょうが、女性は当時は私一人で暇だったのでいろいろなところへ行きました。高校の寮が蓼科にありまして、お米を一合持っていくと一泊させてくれるので、高校時代の友人と随分山に行きました。また友人とは海にも行ったりして、あちこち行き回りました。語学が好きだったので、ドイツ語の夏季講習に通ったり、ドイツ語会話教室に通ったり結構一生懸命やりました。

岩間　中学・高校はどちらですか。

中西　筑波大学附属、かつての東京教育大学の附属です。中学では、英語の文法を全然教えなかったのです。いつも「クリスマスキャロル」をはじめとして何かを歌っているだけでしたので、文法を学ばなくてはと思い夏の塾に1カ月だけ通って、そこで文法ってこんなにおもしろいのだと初めてわかりました。この学校は教育実験校なので、学校の指導要領どおりに教えなくてよかったと聞いています。

　こんな具合でしたので、私は地理もあまり知りません。地理とは現代史だという先生もいらして、新聞の切り抜きなどを持ってきて授業をしてくれていたのです。後になって息子と一緒に初めて日本中の山や川の名前を覚えました。四国で一番高い山は石鎚山だとか、「坂東太郎」とはどの川だとか。地理の基本知識は習ったことがなかったので、やはり少しは指導要領に沿った授業は必要だったのでは、と思ったりもします。ただ、中学・高校の英語の授業には外国人の先生もいたので、それはとてもよかった。ただ、中学では英語の時間といっても、本当に教科書を開いたことはありませんでした。

岩間　そんなに自由にできたんですね。

中西　そういう破天荒な教育を受けたので、一般の人の知っている基本知識は子供と一緒に学びました。最近の小学生用の塾で教えていることってすごいですね。中学受験だというのでテキストを買ってきて一緒に学んだのですが、政治や経済のこともいろいろ書いてありますし、あれだけ本当に理解して頭に入っていたらすごいなと思いました。

　昔は他の学校は土曜日は休みではなかったので、土曜日にどこかへ出かけると「お嬢ちゃん、今日学校はないの？」と言われて恥ずかしいので、なるべく外に出ないようにしていました。

岩間　そういったところまで他の学校と全然違うんですね。

中西　小学校の敷地内に占春園という庭園があって、飯ごうでお米を炊いたり、とにかく課外活動も多く、とてもよく遊ばせてくれました。

飯吉　そういう伸び伸びとした教育がいいですね。

中西　夏は海で遠泳があったこともあり、朝早く学校に行ってプールで泳いだり、鉄棒をしたり、結構体操もたくさんしていました。体育がとても盛んな学校でした。

飯吉　優秀な学生が入ってきているから、あまり教えなくても、かえってその方が伸びるんです。そういう学校だったんじゃないかと思います。社会的に大きな仕事をする人も多く輩出していますので、大正解だったのではないですか。

中西　ただ基本的な知識の足りないところはまだたくさんあると思っていますよ。

飯吉　でも、それは自分で補えるからぜんぜん構わない。

中西　遠泳で1.5キロの距離を泳いだり、体育をたくさんやらせてくれたのはよかったと思います。また当時の東京教育大学は"附属"大学と呼ばれるぐらい見すぼらしい感じでしたが、対照的に附属学校の方が断然設備がいいのです。そんな毎日でしたから、鉄棒三昧の私の膝の裏あたりはいつも傷がついて、かさぶただらけでしたが、それが体をつくるには良かったと思います。プールでの25メートルの潜水もほとんどの子ができるようになっていましたが、今ではそんなことをするのはもう無

理でしょう。

飯吉　溺れたら困るとか、親があまりいい顔をしないとかうるさくなりましたからね。

岩間　大学に入ってからはいかがでしたか。

中西　さっきもお話ししましたように大学１年生のころは授業がなかったのです。２年でばたばたっと始まって、３年になったら、お前は大学院を受けるのだからとにかくこれをやれとなって閉じこもって勉強していました。

岩間　大学院を勧めてくれた男子学生の采配ですね。

中西　そうです。頼みもしないのに気を遣ってくれました。

岩間　それは本当にすごいことですよね。

中西　それで、少しはやらなくてはと思ったのです。

► 東京大学大学院への進学

岩間　大学院は東大の理学系研究科に進まれたのですね。

中西　そうです。大学の４年生のとき放射化学の部屋にいたのですが、そこは東大の理学系の先生ばかりだったのです。

岩間　４年生のとき放射化学を専攻されたのはどういう理由だったのでしょうか。

中西　たまたまです。大学院入試を控えての研究室選びでしたので、そこでの実験がどのくらい大変なのかなということや、有機系の研究室は扱う薬品で臭かったので、それより匂いのしない分析や無機系の方がいいかなという気がして（笑）。

岩間　東大の雰囲気は立教とは随分違いそうですね。

中西　そうですね。先生にもよるのでしょうが、大学院の指導教授だった本田雅健先生は、方針として、これをやれということは何も言わない方でした。ただ、やったことに関しては、ゼミで、こてんぱんにやられるのです。というか、実力面で足りないところをあちこち突かれるわけです。

「ウオーキングディクショナリー」という言葉がありますが、本田先生は「ウオーキングブリタニカ」と呼ばれていて、単なる事典以上、それも百科事典ということです。子供の高校の歴史や地理の教科書を見ながら寝はじめるということでした。それもあってか本当に何にでも詳しく、よく知っておられました。ただ、口が悪いというか、思ったことをズバッと言うのです(笑)。人がどう思うかなんて何も考えてもいない。後腐れとか、懲らしめようとか、そういう気持ちは全くないのですが、思ったことをズバッと言うので、中には気分を悪くした先生や学生もいたみたいです。

岩間　自由にやれという感じの指導だったのですね。

中西　そうです。それで困りました。

岩間　どういう研究をすることになさったんですか。

中西　ベリリウム10の半減期を求めました。ベリリウム10というのはいつも宇宙から地上に降ってくる核種の一つで、いろいろなことに使えるので、とりあえず練習でベリリウム10の半減期を求めたらいいのではないかと助手の源生礼亮さんという方が言ってくださったのです。彼は本当に優秀な、かつ変わった方でもありましたが、若くして亡くなりました。一晩で百人一首を全部覚えたという逸話もお持ちで、とても優れた能力を持った人でした。

飯吉　天才的ですね。

中西　彼にはご家族もおられたのに、ほとんど家に帰らないのです。本当に研究に熱心で、私の徹夜実験にもずっとつき合ってくれました。

　ベリリウム10の半減期を求めるためには、まず、原子炉で長時間照射されたホウ素の化合物である窒化ホウ素を手に入れることが必要でした。日本原子力研究開発機構のJMTR（Japan Materials Testing Reactor）という材料試験炉で長い間照射されてできたほんの少しベリリウム10を含む窒化ホウ素片を手に入れ、その試験片からベリリウム10を化学分離したのです。普通のベリリウムですと、ベリリウム9という安定核種だけで構成されているのですが、試料中にはベリリウム10ができているので、まず

それらを分けなくてはならなかったのです。ただ窒化ホウ素からベリリウムだけを分離しても、天然のベリリウム9がどうしても混ざってしまうのです。それで、飯吉先生もご存知の東京の田無にあった原子核研究所でずっと徹夜でベリリウム9と10の分離実験をしました。

　イオンソース[2]となる箱の中にフィラメント[3]を設置してアーク[4]を立て、加速した塩化ベリリウムサンプルのビームを流して9と10を分け取るのです。非常に大きなマグネットがあって、すごいスピードでイオンが流れると重さによって曲がり方が少し変わります。同位体分離機という装置でして、分けたビームはイオンプランテーションといって、銅の薄いホイルに突き刺すようにして回収することにしました。水冷却ジャケットのついた箱内の表面に銅のホイルを貼り付け、曲がってきたビームを集めるようにしたのです。この装置を使ってベリリウム9と10を分けることができ、何とかベリリウム10の半減期を求めました。

　それは随分大変な実験で、幾晩も徹夜してずっとビームを出し続けてベリリウム10を回収して結果を出したのです。マスターの審査会で発表をしたとき、何を聞かれるかととても心配していたら、最初の質問は「それは全部自分でやったの？」でした。

飯吉　なるほど。びっくりしたんですね。

中西　私もそんな大変なことだったのかと驚きました。

　ドクターのときは、コンセプトは同じで、ニオブという金属の91と92の半減期を求めました。今度も質量分析が一つの鍵でした。同位体の質量分析では、例えばカリウムですとカリウム39や41など、同じ元素で二つ三つ違う核種があるので同位体比を測定して質量分析をする意味があるものの、ニオブもベリリウムも通常の状態では、一つしか安定同位体がありません。他に同位体がないので同位体比を求めることはする意味がなく、そのためか質量分析法を開発する人はいなかったのです。私の試料の場合には、通常はニオブ93しか存在しないところに、核反応でニオブ92をつくったので、ニオブ93と92という同位体比を測定することができたのです。

では半減期を求めるためになぜ質量分析が必要だったのかについて説明します。要は、半減期を求めることはとても簡単な原理に基づきます。出される放射線量は、その原子核の数に比例します。これは当たり前で、２倍の原子核が存在すれば２倍の放射線が出るはずなのに、実際に出てくる放射線量は半減期に逆比例するのです。つまり、原子核の数を半減期で割れば放射線量がわかるのです。半減期とは放射線量が半分に減る時間で、同じ数の原子核があっても、半減期が長いと少ししか放射線は出てこないし、半減期が短いとたくさん出てきます。半減期を求める場合にはしばらく待って、どの位放射線量が減ったかを調べると半分になる時間がわかります。ただ、半減期が非常に長い場合、待っていても放射線量は減らないので、放射線量をきちんと絶対測定をし、原子核の数を求めれば、これらの関係式から半減期が求まります。

　同位体の質量分析とは、実際にニオブ92という原子核の数をきちんと求めるために、必要だったのです。例えば、ニオブの92の原子核数を求める場合、天然に存在するニオブは93のみですが、どうしても化学分離の段階で少し天然の93が試料に混入してきます。そうすると質量分析計で測定する試料からは92と93のピークが出てくるのです。コンタミ（contamination：試料に混在する汚染物質）として試料に混入してくるニオブ93と同等の量のニオブ92の試料、それほど極少量の原子核の数を測るのです。そこで、試料にわかっている天然のニオブ93をほんの少量だけ加えると、93が増えるので、92と93の比が変わってきます。つまり、どの位の93の量を加えて92と93の比がどう変わったかがわかれば、ニオブ92の原子数が計算できるのです。

　私がした実験は、原理的には、原子の数と放射線量の両方の絶対量を測れば半減期が求まるということで、極めて簡単に理解できる内容なのです。ただ、極微量の原子核の数や放射線量の絶対量を求めるということはとても難しく、ドクター２年の時、このままでは来年ドクターは取れないよと言われながらも、何とか半減期が求まりドクターが取得できました。

▶実験動物中央研究所

中西 1978年にドクターを取ったら、その次も大変でした。男女雇用機会均等法の制定は1980年代ですから、そのころはドクターの女子の就職口はまずありませんでした。アカデミックな職なんてもちろんありませんし、企業も雇ってくれません。どうしようかなと思っていたら、加藤正夫先生という、研究で知り合った工学部の先生が「僕のよく知っている実験動物中央研究所というところがあって、おもしろいことをしているから、あそこだったら聞いてあげるよ」と言ってくれました。この研究所は今も存在していて、後でわかったところによると、そこは文部省が随分サポートしていた研究所でした。

　実際に就職してみると、それまでとはすべて異なった世界で、非常に興味があるというか、戸惑うことが多かった場所でした。財団法人の研究施設で、大学と違ったことは、まず、女性はどんな人でも男性にお茶を入れる習慣を維持していました。それまで私はお茶は各人、自分で用意するものだと思っていたので、「どうして自分で用意しないの?」と言ったらかなり白い目というか、驚いた顔で見られました(笑)。

飯吉 それは今でも続いているんですか。

中西 いえいえ、今は全く違います。当時の話です。

飯吉 もうそういうことはないでしょうね。そういう時代もあったと言うことですね。

中西 そういう時代でした。お昼のお茶も午後のお茶もそうで、同じことをしている研究員同士なのに、女性は皆コップにお茶を入れて男性に出すという不思議な世界でした。

飯吉 男性の数に対して、女性は何人ぐらいいたんですか。

中西 半分以下です。動物の世話をする部署に何人かと、洗い物をしてくれるおばさんや掃除をしてくれる方もおられました。

　たまたま製薬会社のプロジェクトが動いていて、ヌードマウスという免疫系のないマウスにあるがん細胞を注射すると、おなかが膨れてきて液がたまってきます。それを集めて溜めておくまではテクニシャンの人

がしてくれるのですが、私はその液の精製段階を手伝ったのです。初め
て接した生物実験でしたが、とても試料の扱い方がプリミティヴのよう
に感じました。生体試料はいろいろな薬品を使うと活性が無くなってし
まうので、精製というか、分け方としては、極端に言いますと、重さと
大きさに頼るしかない、つまり遠心分離と電気泳動[5]に代表される方法
しかないのです。

　シュレーディンガーの[6]『生命とは何か：物理学者のみた生細胞』（鎮目
恭夫他訳、岩波書店、1951年〔岩波文庫、2008年〕）は読まれたことがあると
思いますが、生物とはどういうものかということについて、とても有名
な見方をしています。通常はエントロピーの小さい状況をそのままにし
ておくと次第にばらばらになってそれが大きくなっていく。それに対し
てきちんとエントロピーの小さな規則的なものをつくり、それを維持し
つつ、また規則的なものをつくりだしていくのが生命であると言うので
す。ともあれ、それまでは試料に圧力をかけて融かしたり、薬品で抽出
や分離などをしていたので、生物を扱うことに対しては何とプリミティ
ヴな方法しかないんだろう、ということが最初の印象でした。

岩間　大学院のときにやっていたこととは違いますよね。

中西　全然違いました。でも、バイオ分野に入っていけたことで救われ
たような気もします。救われたというか、その後、職を探す上でとても
役に立ちました。というのは、いつの間にか実験動物中央研究所の運営
が厳しくなってきたようで、特に論文を書くような研究者がどんどん少
なくなり、動物の世話をする人ばかりが残っていくようになってきまし
た。子連れでしたが、私は再度就職口を探さなくてはならなくなりました。
そのときに当時旧公衆衛生院におられた山縣登先生が日本ゼオン（株）
はどうかと言ってくださいました。当時ゼオンは生物分野を立ち上げた
いと考えていて、そのためにはアイソトープ［後述］を使う施設をつく
らないといけない。その施設に必須な放射線取扱主任者の資格を持つ人
を探していたのです。

岩間　日本ゼオンはいかがでしたか。

中西　日本の会社のすばらしさを肌で感じました。その頃は、ちょうどDNA合成機を開発して販売し始めるプロジェクトが動き出した時でした。そのグループの人たちは、全員、毎日、夜中まで一生懸命働いていました。そしてプロジェクトは計画通りに進んでいたのです。私としては、とにかく、化学会社なので、化学反応の話を久しぶりに身近で聞くことができ、とてもいい雰囲気を感じました。でも、実験動物中央研究所から来たとなると、生物をやってきた人ということになってしまうのです。それで、そんなことしたこともないのに、うちで生物分野を立ち上げたいから、まずその実験室をつくってほしいと言われました。

飯吉　生物のことなら中西先生にお任せすればいいと思われたんですね。

中西　培養が頭にありましたので、培養室、無人室、生化学実験室など実験室のデザインをすることができたことはとても良い経験となりました。培養室設置に当たっては、当時放射線医学総合研究所におられた寺島東洋三所長のところに伺い、細胞を培養する装置はどうつくればいいのかとか、培養の際にはコンタミを防がなくてはならないのでどういう設計が必要なのか、などいろいろ教えていただき、病原体を用いた実験も可能であるP3レベル[7] の遺伝子実験施設もつくりました。ゼオンは潤沢な資金を用意したのか、何をつくるにしても切り詰めた感じがありませんでした。そこで、実験室として色々な設備をつくりあげたところ、次に、何をやるのかも考えてほしいということになりました。そこで、いろいろな学会に行き、これから何がターゲットになるのかを探っていく中で、当時はちょうどモノクローナル抗体[8] が着目され始めたころだったので、それをテーマにしたらどうかと考えました。例えばあるがんへの特異的な抗体をつくりだす一つの細胞を分離し、その一つの細胞を増やしてそのがんだけを認識することができる系をつくるということです。

飯吉　いいアイディアですね。

中西　この開発のために細胞培養を学びたいと申し出て、獨協医科大学で１カ月ぐらい学ぶ機会をいただきました。そこは日本の細胞培養の草分けといわれる故勝田甫先生がおられたところでした。私が行った際に

は長年勝田先生と研究をされてきた故高岡聡子先生だけが残っておられ、非常に多くのことを学ばせていただきました。草分けの研究室にはあらゆる面での技術や研究成果の蓄積がありました。例えば、長年、顕微鏡下での細胞の動きを見るため、コマ落としの16ミリ映像をたくさん撮っておられたのです。細胞が分裂するとき、シャーレにくっついて動いていた一つの細胞がちょっと持ち上がって二つになり、またシャーレにくっついて動き回り始めるのです。細胞は常に細胞の外側の端をピラピラ、ピラピラさせながら動いているのですが、がん細胞は、正常細胞に近づいて一緒になるや正常細胞内の顆粒をあっという間に吸い取ってみたり、そんなところが全部写っていました。今はそういう基本的な映像はあまり撮られてはいないのではないかと思いますが、とても興味深いものでした。

飯吉　がん細胞はどうなっちゃうんですか。

中西　生きてどんどん大きくなっていきます。正常細胞がなぜがん細胞にやられるのかということは当時とても不思議に思われていました。また、動物と人間の違いも知ることができました。動物でしたら、がんができても、大きながんをコブのように背負いながら生きていけますが、人間の場合、がんが大きくなるとそのがんの転移が起こり、悪液質というものが出て正常細胞をどんどんだめにしていくそうです。動物ではがんはほとんど転移しないので、人間の状況を模すために、動物で転移するがんをつくることは非常に難しく、筋肉の中にがん細胞を入れて転移しやすい状況をつくると伺いました。今でも転移する動物がんのモデルは難しいと聞きます。

飯吉　それはヒトの細胞の性質ということですか。

中西　ヒトと動物とで全然違う原因は今でもわかっていないようです。この間もまだ「悪液質について」と、何十年も前に聞いた言葉を使っている人がいたので、医学にはあまり解明が進まない分野もあるようにも感じました。ともあれ、モノクローナル抗体でがんの治療をする際にはどんながん細胞がターゲットになるかというと、固形がんは外側だけア

タックすることになるので、外側のがんは死滅しても内部のがんが生きることになります。ばらばらになっているがんの方が治療効果が高いので、肺小細胞がんはどうかと考えました。このがんでは、血液中をがん細胞がばらばらになって動き回るということでしたので、それならモノクローナル抗体が効くのではないかと思ったのです。

　獨協医科大学で肺がん研究ならどなたが第一人者かと相談しましたら、東京医大の早田義博先生だと言われました。今考えればずうずうしく、またあつかましい話ながら、当時、私は菓子折り一つでその先生のところに聞きに行きました。そこで改めて、やはり一流の先生と言われる方はすばらしい人格者だと実感しました。しかも権威者だと思わせるような驕りも全くなくすばらしい研究者でした。いろいろな肺がん細胞を分けてくださり、モノクローナル抗体のつくり方についても、ちょうどアメリカから戻ってきた人がいるから、と紹介してくださいました。

　モノクローナル抗体をつくるには、ある抗体だけをつくりだす細胞だけを増やさなければならないので、その細胞を増やすためには骨髄腫細胞を融合させ、その細胞だけを増殖させる必要があります。そのための骨髄腫細胞についていろいろ調べますと、当時東京医科歯科大学難治疾患研究所におられた山本興太郎先生が骨髄腫細胞の第一人者だというので、また菓子折り一つ持って先生を訪ねてみました。やはり若かったからでしょうか、恥も外聞も捨てて二人の第一人者のところへ伺ったのです。山本先生は北大を出ておられ、たまたま小学校から大学まで北海道で一緒だった無二の友達が日本ゼオンにいるということもあってか、非常に親切にしてくださいました。

▶ アメリカでの研究

中西　ちょうどそのころ、たまたま主人がアメリカへ行くことになり、私も絶対に行きたいと思いました。クビを覚悟で会社にお願いしたところ、クビはつないでおいてくれて、そのまま2年間ほど行くことになりました。ただ米国でもまたいろいろ予想外のことが起こりました。当初は動

物細胞を使った実験を始め、毎月のレポートはきちんと送ってはいたのです。それを見たのかどうか、半年ぐらいたったころでしょうか、突然、会社で今度、植物グループをつくるから、お前は植物に転向して学んで来いと命令が来ました。

飯吉 カリフォルニア大学のころですね。

中西 そうです。カリフォルニア大学が運営するローレンス・バークレイ国立研究所に行かせていただいていたのです。植物研究と言われ、初めての植物の世界なので何をすべきか、どこで最初の情報を得られるのかなど色々探しました。その結果、お名前だけは知っていたカリフォルニア大学リバーサイド校のムラシゲ[9] 先生が植物細胞研究の第一人者だとわかりました。そこで、先生に植物培養について教えてほしいと頼み込んだのです。先生は、夏の間、1カ月間ほどの植物研修のコースをつくり、いろいろな人に植物細胞の扱い方、培養法などを教え、そのコース代を研究費に当てておられたことがわかりました。そしてその集中コースとして特別に1週間の研修を私のために用意してくださったのです。もちろんお礼はしたのですが、そのコースはすばらしくて、朝行くともうどんな実験をすべきか、きちんと実験室にその用意ができており、こうやって植物細胞の染色体を見て分離するなど、色々な技術をすべて教えてくださいました。また講義も先生の部屋で伺うことができ、シャーレで育つ細胞には何が欠けているのか、どうすれば元の植物体をカルスと呼ばれる培養細胞の塊からつくり出すことができるのかなど後々まで役に立つ情報を教えていただきました。ただ、ムラシゲ先生は戦時中、日本人が収容所に入れられていた時代に育ったため、ご両親が日本語を教えなかったので、日本語を話すことができませんでした。

飯吉 日系2世ですよね。

中西 はい、そうです。世界中の人が使っているムラシゲ・スクーグ培地[10] のムラシゲ先生です。でも、態度というか考え方は日本人そのものでした。非常に専門技術や研究に詳しくまた気を使って下さる優しい方でもありました。そんなこともあり、そこでは植物研究のポイントが何

なのかがわかった気持ちになって帰ってきました。

　日本ゼオンに戻ってきたら、最初４、５人で始まったバイオグループは、４、50人に大きくなっていました。ゴムの乾燥工場から来たという人もいたので、まず生物学を知ってもらわなければということで、朝、皆でストライヤーの書いた教科書[11] を読もうと、30分ぐらいずつ勉強の時間をとりました。終わったら紙を配って、５分ぐらいの小さなテストもするのです。それが私の役だったのですが、このテストは少し緊張してもらうためだけのもので、別に点数をつけてどうこうということではありませんでした。年配の人から「あそこはこっちに丸をつけたけど、こっちにしておいて」とか後で言われて、「はい、わかりました」という感じでした（笑）。でも、日本の会社はやはりすごいと思ったことは、ゴムの乾燥工場にいた人でも、こういうことをすると言えば、マウスの使い方とか、注射して重さを測ってこうするとか、最後、おなかを切り開くところまで全部できるようになりました。

飯吉　一人で。

中西　ええ。すごいと思いました。

飯吉　それは日本だからじゃないでしょうか。日本人の器用さというか。

中西　日本人だからだと思います。日本の会社なら他もそうだと思うのですが、少なくとも日本ゼオンの人たちはとても優秀でした。高校を出てずっとゴムの乾燥をしてきたという人で全く動物を扱ったこともない人が、何の濃度をどう変えてこうしていこうとか、すぐに仕事のマトリックスをつくって潰していくことまでできるのです。

　DNA合成機の開発もそうでした。10人ほどのグループでしたが、毎日毎日夜中まで、ありとあらゆることを一生懸命考え、私は、誰か倒れるのではないかと心配したほどでしたが、何日までに何をつくりあげると決めたら、その日までにきちんと仕上げていました。そんな中、私も夜中の１時まで会社の仕事で残業していた日もありました。今では考えられませんよね。

　日本ゼオンで働いている時は、子供を月曜日に親に預け、金曜日に連

れ帰っていました。結構忙しくて、普段は家庭を考える暇すらありませんでした。当時は土曜日も勤務しなければならず、金曜日の夜に子供を家に連れてきて、土曜日は早めに帰っていました。子供は植物ではないのですが、土日は日に当てないといけないのでよく外に出ました。そして次の月曜日の朝また5時ぐらいに起きて預けるのです。よく体が続いたと思います。

飯吉　ご主人は協力的だったんですか。

中西　そのころは彼も非常に忙しい時で子供を預けることはできませんでした。一度だけ連れていってくれましたが、それ以上はやはり無理でした。

飯吉　今はもう随分変わっていますでしょう。

中西　今は変わったと思いますが、その頃はそんな状況でした。それと会社には、大卒女子というカテゴリーがなかったので、当時、日本ゼオンでの私の賃金は本当に低かったのです。そのことは会社もわかっていて、なるべく上げようとしてくださったのですが、理由が必要だということで、いろいろ試験を課されたりレポートを書かされたりもしました。TQC（Total Quality Control）など品質管理の本も読まされましたし、あと日本ゼオンはデミング賞[12]を取ったのでデミングさんともお会いする機会がありました。

飯吉　それは男女の差なんですか

中西　そうです。女性は高卒で数年勤務すると寿退社ということが普通だったので、女性が男性と同様に働くということはほとんど考えられていない時代でした。日本ゼオンでは色々考えて下さり、昇給試験は男性と一緒に受けさせてもらえました。それに受かると少しずつ給料を上げてくれ、やめるときに給料は男性よりもやっと4年の差まで追いつきました。ただ年功序列社会でしたから、4年の差というのは結構大きいのです。

　その後、大学の助手になったら不思議なことが次々に起きました。まず、給料がぽんと上がり、私がいつも書かされていた週報も月報も3カ月報

も年報も全部要らなくなりました。また当然ながら、毎月の社長ヒアリングの要旨もつくらなくてよくなりました。あのころは今みたいにコンピューターがなかったので、全部手書きで湿式のコピー機でした。「ミスターＡ３」と呼ばれるほどうまくＡ３用紙にわかりやすくまとめる達人がいて、表は縦にそろえるときれいに見えるとか、副社長とか年配の人用には大きい字で濃い目に書くとか、いろいろなノウハウを教わりました。

岩間　会社の文化ですね。

中西　ええ。そういうことも学ばせていただいて、とてもよかったと思います。

　私がアメリカに行かせていただいているときに、ゴムというか石油関連の会社の社長さんばかりが集まって毎年世界のどこかで開かれることになっていたミーティングがたまたまサンフランシスコで開催されました。そこに日本ゼオンの社長夫妻が来られたのです。年配の理系出身の社長さんでしたが、ミーティングでいろいろ手伝う必要もあり、それはもう大変でした。夜は社長さん夫婦の泊まられているホテルに泊まりました。社長さんはスイートルームに泊まられていたので、エキストラベッドを持ち込んでそこに寝泊まりしたのです。そこは居間の近くでしたので、年配の人は朝起きるのが早いから、起きて来られる前に起きて身なりをきちんとしていないといけないのです。

　年に１回のサイエンティフィック・ミーティングと称する懇親会が大切な行事の一つでした。エクソンとかシェルなどの大会社の社長さん、会長さんが集まられていました。それでわかったことは、彼らの奥さんは日本人より日本人的だったということです。女の人はまずしゃべらない。私が大学でつき合っていた人たちは女性も男性もみんなどんどんしゃべっていましたし、着ている服も非常にカジュアルで、穴が開いていても何とも思わない感じだったのに、彼女たちはぴしっとしていました。それから、会長さん夫婦と副会長さん夫婦が来ていると、副会長さん夫婦は、会長さん夫婦が帰るまで絶対に帰りませんでした。

食事会では、私も奥様方を多少アテンドするようにと呼び出されて参加しました。向こうの偉い人の奥様方は、基本的にしゃべらないのに、ブレイク・ディ・アイスというか、話題がちょっと途切れると、ぱっとすばらしいことを言われるのです。それをもとにまた会話が盛り上がると、もうそれ以上は言わないのです。本当に場をつくる能力がすごいと思いました。日本に来たことのある方も随分おられて、日本語の単語をご存じでした。どういう単語かなと思ったら、こういう言葉を知っていると、日本人がしゃべるようなアクセントでおっしゃる。外国人のアクセントではないのです。よっぽど耳がいいのだなと思いました。頭もいいのでしょうけれども、本当のハイソサイエティ・レベルの人と会えたのはいい経験でした。

　昼間、時間があると皆さん、ペブルビーチへゴルフをしにも行かれました。私も奥様方がいるから一緒にということで行きました。そこのゴルフ場には付き添いの人が昼間休める個別の建物があるのです。たまたま伝言を預かったので私がそこへ届けに行くことがありました。持っていきますと、私がすばらしい奥様だなと思っていた方が扉を開けられました。ところが出てこられた方は、夜会った方とは全然違っていて驚きました。何と言っていいのか、顔は全体に白っぽく、髪の毛は殆どなく、昨夜お会いした際はかつらだったとわかり本当に驚きました。非常に気を使って着飾っておられ、とてもよい方で、いろいろ学ぶことができました。

岩間　それはすごい話ですね。

中西　ペブルビーチですから、最後はみんな海に向かって思いっきりゴルフボールを打つのです。ゴルフ場の芝生もふかふかした絨毯のようなところでした。アメリカの本当の上層部の人たちの社交場だという印象を受けました。

飯吉　ハイソサイエティですね。日本にはなかなかないですよね。

中西　日本ではあまり知りません。服装などについては、アメリカではいい大学でも、靴を持ち上げたらみんな底に穴が開いているという感じ

でした。いろいろな人がキャンパスに来られるのですが、その頃の日本人は非常にびしっとした格好をしているのです。今はそうでもありませんね。中国の人も今と服装の感じが違っていました。大学にいて服装から国籍がわかったのはそのくらいです。

飯吉　その会社にはどのぐらいいらしたんですか。

中西　５年間ほどです。そんなこともありましたので、社長さんはすごくかわいがってくださり、また営業部の人も非常に気を使ってくださいました。こういうものを開発事項に入れたいと言うと、すぐマーケット調査をしてくれて、ここが大切だよと教えてくれたりもしました。

飯吉　各セクションがみんなプロなんですね。

中西　ただし、飲みに誘われると明け方の３時までということもあって大変でした。でも、会社は社会に直結しているのでいろいろ学ぶところが多かったと思います。

▶ 東京大学農学部

岩間　日本ゼオンでお仕事をされてから、1987年に東大の農学部の助手になられていますよね。

中西　そうです。知り合いの先生伝いに、こんな話があるよと言われて移ることになりました。東大農学部のアイソトープ施設に助手として植物栄養を出られた女性がおられたのです。ご主人の都合でお子さんを抱えてその方も一緒に移ることになったために、施設担当の先生も困っておられました。アイソトープ施設には法律で放射線の資格を持っている人が必要だったからです。

　ただ、最初は恐る恐る活動をする毎日でした。農学部というのは、理学部ともまた会社とも全然雰囲気が違っていたのです。だんだんわかってきたのは、どう言いますか、日本的、そして農民的とでもいうような感覚を持つ空気でした。皆、すごく優しくて居心地もいいのですが、皆と一緒の行動が大切というところがありました。

　農学部の発酵学の部屋は、戦後は酒税が国家財政の４割を占めていた

ということもあってか、戦後の製鉄会社のように自分たちこそ国を支えてきたという、非常に大きな自負心がありました。それもあってか、お酒に対する考え方は世間とは全く異なり、先生から「みんなで飲んでいるのだけど」と電話がかかってきたら参加は当然で、帰ろうと思っても「どこへ行くんだ」となかなか帰してくれませんでした。皆で定期的にでもお酒を囲んで歓談し、皆でお酒談義をすることが一つの農学部の文化でした。その中でさらに研究の話も弾んだのだと思います。

　皆さん本当によく飲みました。伊豆の方の大きな旅館のご子息だった教授がおられ、何かあると、その人がみんなを旅館に呼んで、夜集合、朝解散するという会をアレンジするのです。その晩だけでもみんなで飲んで食べて談義をするわけです。なぜわざわざそこへ行くのだろうかとも思われましたが、でも、そういう文化がずっと続いていたのです。最初のころは女性は私一人しかおらず、あとは事務の方におられたかぐらいでした。それでも全部参加させていただきました。

飯吉　そうですか。立派ですね。

中西　それに思い出すのは、アイソトープ施設は農学部中のほとんどの人が実験に使っていて、その人たちとの交流もありとても楽しかったのです。私の部屋は建物の地下1階だったのですが、3階に水産の研究室がありました。そこでは、1本の足が1メートルぐらいあるミズダコを使う実験をしていました。研究には少ししか使わないから、残りはみんなで焼いて食べるのです。3階からミズダコが焼けたよと電話がかかって来るとみんなで喜んでいきました。

飯吉　楽しみもあったんですね。

中西　ええ。ペルーから来ているアワビの研究をしていた人もいて、研究用にと当時の築地の市場から安く分けてもらっていました。頻繁に買われていて研究に使った後、これもかなり残り、あとはおいしく皆で食べました（笑）。

飯吉　それは当然ですよね。研究しているわけだから（笑）。

中西　食という意味でも楽しかったと思います。

また、昆虫の部屋から誘われて何回かその研究室の飲み会に行ったこともありました。少し汚い話になりますが、その当時は農学部のトイレにはたくさんの昆虫や蛾がいました。そこの学生さんはトイレから、「先生、こんなのがいたよ」と、大きな蛾を捕まえてきたりするのです。あの研究室もとても興味深いところでした。ゴキブリも含めて様々な昆虫を育てていて、いろいろなことを教わりました。5cm位のすごく大きなゴキブリも育てていて、ゴキブリは暗いところがないとよく育たないというので、大きめのシャーレの中にトタン状にろ紙を折って飼っていました。そういう隠れ場があるとよく育つのだそうです。あと、大きなシャーレに水が張ってあって、真ん中に島があり、そこに砂糖のような白い山みたいなものがあるのです。よくよく見ると一粒一粒が動いていて、小さなダニなのだそうです。それから、ナナフシという虫を知っていますか。自分ではオスかメスかわからずに増えていく青い木の節がくっついたような虫なのですが、それをデシケータに入れてもらったこともありました。

　あの時代の農学部というのは楽しいところで、圃場（ほじょう）もかなり広い面積を占めていました。広い水田や畑をキャンパス内に持っていました。水田といっても3カ月か4カ月で稲を刈ったらその後使わないこともあるので、キャンパスが狭くなってくると少しずつ圃場には建物が建つようになってしまいました。かつては、あそこに行けばミョウガ、ここはアスパラガスなど、随分いろんなものがあり、ブルーベリーを育てている先生もおられ、許可をもらって随分収穫させていただいたりもしました。

岩間　ところで先ほどから出ているアイソトープについて教えていただけますでしょうか。

中西　アイソトープとは放射性同位体で、どんな元素にも安定同位体と放射性同位体があります。例えばカリウム元素では、1万分の1は必ず放射性のカリウム40です。これは飯吉先生の方が断然お詳しいことですが、46億年前、地球ができたときに、そこの宇宙空間にあった元素が取り込まれ地球ができましたよね。ですから、アイソトープというものは

地球の中にも、つまり身の回りにたくさんあるのです。

飯吉　残っているんですね。そんなにあるんですか。

中西　例えば、カリウム40の半減期は13億年ですから、今は46億年前に存在していた量よりも非常に少なくなっています。地球ができるときに色々な元素が地球上では偏って集まり、一部は鉱脈となっています。ウランの場合、ウラン元素には235と238と重さが少し異なる放射性同位体があり、日本では鳥取の人形峠あたりに鉱脈となっています。原子力発電所ではウラン235を濃縮して燃料棒にしています。天然には0.7％しかないそれを3、4％にまで高めて発電所の燃料にしているのです。どんな放射性核種でも時間が経つと安定な同位体へと崩壊してゆき、その減り方、つまり半分になる時間を半減期と言います。原子力発電に必要なのは、ウランの0.7％を占めるウラン235の方で、その半減期は7億年です。気が遠くなるような長い時間のように感じても、地球の歴史を考えると、7億年前は今のウラン235の量の倍の1.4％、その7億年前は2.8％、そのまた7億年前は5.6％あったわけですから、3半減期前の21億年ぐらい前には環境中に今では考えられないほど高い濃縮度の放射性ウランだらけだったわけです。つまり私たちが今、濃縮しないと燃料にならないウラン235も環境中に非常に高い濃度で存在していたので、天然に原子炉が存在する可能性があったのです。

飯吉　そうですね。

中西　実は、それがアフリカのガボン共和国のオクロ地区で見つかっているのです。そこではウランの中でもウラン235が燃料用として大切ですから、採掘されるウランの中に占めるウラン235の割合をいつも測りながら採掘して販売していました。235と238の比を質量分析計で測っていたところ、ある部分だけ235が非常に少なかったので、どうしてだろうと調べてみました。ウランは核分裂すると色々な核種がたくさんできるので、何がどのくらいできるかというパーセントも決まっています。そこで周りの土壌などを分析したらそのパーセント通りいろいろな元素が存在していましたので、そこでウラン235の核分裂、つまり天然の原子炉が稼働

していたことがわかりました。

飯吉　おもしろいですね。

中西　私たちの身の回りの放射性物質の起源は大きく分けて二つあります。一つは地球ができる際に取り込んだもの、つまり地面の中にあるもの。もう一つは、大気の上の方でエネルギーの高い宇宙線に照射されることにより酸素や窒素の原子核が壊れたものです。その反応では、トリチウム、炭素14など色々な核種がつくり出され、それらが常に地上に降ってきています。つくり出された放射性同位体のうちの炭素14は、私たちの周りのどんな炭素でもその中に常に1兆分の1ほど含まれるので、この核種を使って年代測定もできます。

岩間　なるほど放射年代測定とはそういう原理ですか。

中西　もちろん大気中の二酸化炭素には炭素14も含まれるので、呼吸や食べ物から炭素14は植物や動物に取り込まれます。どんな生き物でもその中に含まれる炭素の中には1兆分の1だけ必ず炭素14という放射性元素が含まれます。でも、木でも人間でも、死んで土の中に埋まってしまったら、もう呼吸はしないので、地球に降り注ぐ炭素14は取り込まれなくなります。空気中では炭素14と炭素12の比は決まった値ですが、空気中の炭素を吸わなくなると放射性の炭素14だけ減っていき、半減期分、5730年たてばその量は半分になるわけです。ですから、炭素12と14の1対1兆分の1という比が少し異なる試料が見つかったら、その比をよくよく調べれば、何年間たっているのか、つまり何年間埋まっているのかわかるのです。この方法による年代測定には、炭素14だけでなく、ベリリウム10など、他の色々な放射性核種を使うことができます。私たちの身の回りの放射性同位体は時計の役割も果たしているのです。

▶現場主義での研究

飯吉　中西先生は、研究の姿勢として、現場主義を大事にしていらっしゃいますね。

中西　はい。現場へ行かないとわからないのです。

飯吉　今のお話もそうですが、要するに、現場へ行って、そこでしっかり観察なり調査をしないとわからないというお考えなんですよね。

中西　そう思います。

飯吉　僕はやはりそこが大事だと思うんです。自然界についてすべて研究室にいてわかるものじゃない。

中西　自然の摂理を知ることがすごく大切だなと思っています。

岩間　最初、中西先生のご研究のテーマを見たときには、植物生理学と放射化学がどうつながるんだろうと思っていたんですが、こういうことだったんですね。

中西　ええ。アイソトープを使うと、それがトレーサーにもなるのです。例えば、アイソトープを植物や動物に与えると、そこから出てくる放射線をたよりに、どこにどのくらいの量のアイソトープが行くのかわかるのです。

飯吉　非常に精度よく測定、計測ができる。

中西　出される放射線にもよるのですが、外から見るだけで、今与えたものがどこへどの位の量が行ったかわかります。動物でも植物でもそうです。そういうツールは他にはなくすばらしいと思います。例えば蛍光というのは、その名のとおり、真っ暗闇でないと見えません。でも、放射線は暗いとか温度が高いなど全く関係ありません。あまり知られていないのですが、厚み計への応用もあり、鉄工所などでは随分使われているそうです。アイソトープを置いておいて、検出器の間に物があるとガンマ線ならガンマ線がその物を通る間に、厚さに応じて通れなくなる、つまり放射線量が減少しますから、どのくらい減少したかを調べれば厚さがわかるのです。光や温度も湿度も関係なく、単にアイソトープを置いておくだけです。放射線量が減れば減少度に応じて厚みが計算できます。紙の厚みもわかります。

岩間　お話を聞いてすごくおもしろいものだということがわかります。

中西　今は利用されなくなったアメリシウム241も感度が高いのでかつてはよく煙探知機に使っていました。煙には通常よりも多くのイオンが

含まれているので、煙が来るとその空間の放射線の伝わり方が変わって、感度高くアラームが鳴り煙の発生を教えてくれるのです。放射性核種で規制が厳しくなったアメリシウム241は、現場では他の手法と比較して、感度面やメンテナンス面でも優れた煙探知機でした。

　植物研究でも実際に机の上で私たちが考えることと現場では異なる例を挙げられます。例えば水分が少なく乾燥しているところや、塩類が多い海岸など、通常の植物がよく育たないところでも育つ植物をつくろうとしたときどうやって研究を進めるのでしょうか。通常行われている方法は、その害に耐性な植物と害に弱い感受性な植物とを比較します。例えば乾燥下での生育でしたら、まず、水の吸収メカニズムを調べた後、耐性および感受性植物を遺伝子レベルで比較します。そして乾燥に強い植物は水を吸収する機能が高いから、乾燥に弱い植物に強い方の遺伝子を組み込んで強くさせようとするやり方がいわゆる王道です。

　でも、それは人間の知恵でつくり出そうとする方向であって自然が発展させてきた植物の持つ機能とは異なるのです。私は植物の水吸収について、フィールドで自然につくられた乾燥に強い植物と弱い植物を比較してみたことがあります。乾燥に強い植物は、本来、水吸収力が大きいのではないかと予想していたのですが、驚いたことに、普段は水をあまり吸っていなかったのです。逆に、乾燥に弱い植物の方は、ふだん、多量の水を吸収していました。でもいざ乾燥状態になると、乾燥に強い方だけ急に多量な水を吸い始めます。一方、乾燥に弱い方の植物は、乾燥処理をすると水を吸えなくなり枯死してしまいます。これは戒めのようにも思える結果で、普段からぜいたく三昧をして水を多量に消費するな、というようにも考えられます。いつも慎ましい生活をしている方がいざというとき強い、ということとも受け取れる結果でした。

飯吉　生物も知性を持っているわけですね。インテリジェンスを。

岩間　本当にそんな感じがします。

中西　それから、植物工場で育つ植物は、どうしてもあまりたくさん実をつくりません。種子はできることはできるものの、お米などの穀物を植

物工場でつくるなんていう話は聞いたことありません。やはりフィール
ドで土を使わないと穀物は多収とはならないのです。土で育つ植物と水
耕栽培の植物を比較すると、水耕は養分がイオン状態となり水耕液に溶
けていますから、簡単に吸収できるので早く大きくなります。ですから、
野菜などは植物工場で早くよく育ちます。一方、土で育つ植物は、非常
に苦労して育っています。リン酸を例にすると、これもアイソトープを
利用してどう吸収しているかを見ることができます。リン酸はよく土に
吸着するので、イネですと、根は土からリン酸を引っぺがして吸うわけ
です。植物は努力を重ねてゆっくり育っていくとは言え、水耕と比較し
て土の場合には収量はものすごく多くなります。若いときに苦労すると
実りが多いと神様が教えてくれているようです。

飯吉 そうですね。なるほど。

中西 土は偉大です。土を使わないと食糧の確保はできないと思います。
最初はわからなかったのですが、植物は何しろ見ているとおもしろいの
です。植物は動かず地味だなどいろいろ言われていても、DNAの数も動
物の10倍あり、本当にすごい潜在能力を秘めているのではないかと思い
ます。かつて、ある人と、その話題だけで日比谷公園で1時間位立ち話
をしたこともあります。

岩間 そんな視点から見たことありませんでした。日本ゼオン時代の植
物への転向が研究に実ったのですね。

中西 今でもカリフォルニア大学リバーサイド校のムラシゲ教授のとこ
ろにひと月ほどお願いして手ほどきを受けに行った時を思い出します。
そこには4畳半ぐらいの小さな植物園みたいな植物育成室があり、細い
試験管に色々な種類の樹木から草本までたくさんの植物が育っている棚
で埋め尽くされていました。ムラシゲ先生は若い頃はかなり苦労された
ようで、植物培養にかけては本当に経験が豊かでした。例えば、柿の培
養ではしぶが出るので生育が悪くなる。それを抑えるには、ろ紙や活性
炭をこう使用したらいいなどという具体的な実践技術も教わりました。
　日本には日本中の樹木の根を掘り返した先生もおられるのですよ。苅

住舁先生といって、詳しい本を書かれています。日本中、何百本という
いろいろな木の根を掘り起こし、根をきれいに洗ってスケッチしている
のですが、樹木の根というのは中心となる太い根を真下に伸ばし、途中
で養分のありそうな地層にくるとそこの地層だけに側根をたくさん生育
させます。そしてまた下に向かって生育していく様子がよく描かれてい
ます。また樹木の上から見た根の張り方の図では、やはり、保水性が高
いと言われているブナの木などは側根が非常によく発達し広がっている
事もわかります。土壌中でこれだけ根を張ると水を貯める機能は大きく
なるのだとわかります。

飯吉　中西先生の後継者の女性研究者は、どのぐらい現在おられるんで
すか。

中西　何人かいます。その内の一人は東大にいます。今は准教授です。

飯吉　女性でも先生の研究分野に関心を持っていらっしゃる方は多いん
ですか。

中西　増やさなくてはいけないと思います。現在は女性用ポストもある
ので期待しています。

飯吉　そういうこともやっているんですか。

中西　ええ。早く教授になってくれるといいなと思うのですが。

飯吉　中西先生は全部現場へ行ってやっていらっしゃいますね。福島原
発の事故の後も現場へ行かれて、原発のセシウムの話も、大枠はわかっ
てきているということなんですよね。

中西　ええ。かなりわかってきています。結果として植物は放射性セシ
ウムを土からはほとんど吸わないことがわかってきました。

岩間　福島の原発事故で大気中に特に放出された放射性物質がセシウム
ということで、その名前だけは広く知られるようになりましたね。植物
は吸わないんですか。

中西　そうなんです。さらに事故直後に放出された空気中のセシウムは、
当時、３月初旬の畑で育っている植物がほとんどなかったため、大部分
がむき出しの土壌表面に吸着して、植物に吸い上げられることはあまり

なかったのです。福島の調査については、調査研究成果をまとめた成書を事故から数年おきに出しているのですが、その４冊目がもうすぐシュプリンガー社から出ます。加えて日本語の一般的な本を２冊出版しているので、参照していただけると幸いです（文末に参考文献として掲載）。

　土壌の研究はおもしろく、特に根は中性子線で見ると興味深いのです。例えばこれまでは土の中の根が水をどう吸収するのか、誰も見た人がいなかったのです。水耕栽培なら根の周りに水があるので問題ないのですが、フィールドではどう根の周りに水が集まるのかという事を調べるためには、水の量を測ることができる土壌水分計を何センチかおきに根に向かって立てて、各水分計が示す水分量の変化を調べます。それらの測定値を外挿して根の表面はこうだろうと推定しています。でも、次のような発見もありました。NHKの放送技術研究所から暗闇でも撮影できるスーパーハープカメラをお借りして暗闇中で育つ根の様子を撮影したのです。するとイネの場合、何と、根の先端から５ミリぐらいのところに支点があって、先がぐるぐる回りながら育っていたのです。それも50分に１回という規則正しいリズムで根先は回りながら穴を掘り、その穴の中に、光合成で固定した炭素を元に、自分の新しい根を伸ばしていました。

飯吉　すごい知恵ですね。

中西　そうなのです。いい土壌はマトリックスと水と空気層がきちんと混ざっている状態なので根はうまく穴を掘れるのです。しかも、掘っているのは穴、つまり土の中の空気の穴なので、当然ながら根の表面には水がくっついていません。水が多いと根腐れを起こすというように根は土壌そのものがスカスカな状況で掘っているのです。では根は直接接していない水をどうやって吸っているのかというと、多分、水蒸気を吸っていると思います。もしそうなら、金属はどう吸っているのか。金属蒸気を吸っているのかもしれません。ちなみに植物が生育に必要な元素は17種類です[13]。

飯吉　それはどうするんですか。

中西　まだ研究の手は付けられていません。これからの研究だと思います。

▶ 大学と学問

岩間　中西先生は2019年から2022年まで星薬科大学の学長を務めておられました。これはどのような経緯だったのでしょうか。

中西　実は、あまり詳しいことはよく知らないのです。前からよく存じ上げていた前の学長があるとき急に来られて、「あなた、理事会で次の学長に選出されたのでお願いします。いいでしょう」と言われたので、戸惑ってしまい、とっさには「考えさせてください」とお答えしました。

飯吉　普段からみんなが見ていて、中西先生に管理能力があり、研究も教育もちゃんとやっておられることがわかっていたんでしょう。

中西　どうして私が選ばれたのかはわからないのですが、思い当たることといえば、東大で大学法人化のときに、たまたま総長補佐に任命され、非常に多くの面で7年間も働くことになったことぐらいでした。

　その時は法人化に向けて毎日毎日いろいろな議論があっただけではなく、不祥事があるとさらに夜中まで対応をしていました。また、学内だけでなく外部機関との対応もありました。法人化後の大きな不祥事としては二つあり、一つは使用禁止になった水銀農薬を使った事件で、もう一つは人身事故でした。両者とも農学部でのことでした。水銀農薬というのは、かつて使用されていた農薬で、特に大切な苗木などを植える際、活着をよくするために根の周辺に付着していた微生物などを除去するために使われていました。ただ、もう使用禁止になったのにもかかわらず使用していたという新聞記事が出て、NHKのニュースでも不祥事として報道されました。私は当時、大学全体の環境安全本部長を兼任しておりましたのでカメラの前で頭を下げたのですが、偉い人からは、「何故あんな暗い顔をしていたのか」と言われ驚きました。

　もう一つの件は研究をしていた人が亡くなった事件でした。それは試料採取中の事故です。法人化後の初めての人身事故ということで、環境

安全本部の人が一人ずつ労働基準監督署に呼ばれ、最後に呼ばれた私は、7時間の事情聴取を受けました。本来でしたら、現場の責任者と組織全体の長、つまり亡くなった方の研究室の教授と総長だけが事情聴取の対象者だったと聞きました。法人化に備えてつくった環境安全本部の本部長をしていましたので、私は呼ばれて詳細にお話をしました。飯吉先生は7時間の事情聴取をご経験されたことはないでしょう。担当の弁護士さんに伺ったところ、「署」がつくところは消防署でも警察署でも司法権があるので、事情聴取が行われるそうです。また呼ばれて返答する際に法律にたがうことを言うと別件逮捕になるとも聞いていましたので、とても緊張しました。

　この件は、長年、海に生育するカイメンを採取して研究している研究室での出来事でした。たまたまPh.D.の取得が遅くなった大学院生がいて、そこの教授が研究費から生活費の一部になるよう、お金を支払ったことから労基署案件となりました。賃金に相当するお金を払ったら学生問題ではなく、労使関係の問題になるらしく、なぜ事故が起きたのかを徹底的に精査されました。雇用者が使用者を海に潜らせるためには、潜水の国家資格を取らせてから行い、潜らせる際には……、という細かい法律があるのですが、教授の方は国家資格は書面資格なので、実際に潜水の実技を教える民間の資格を取得させ、それを取った者だけを連れていったのでした。本当に残念な事故で、私が本部長を辞めた後まで解決しなかったと伺いました。それ以外にも大学内部でもいろいろなことが起きました。

岩間　研究とはうってかわって現実的なお話で驚きました。

中西　大学に組織をつくるときは、各学部長にお願いして人を集めてもだめなのですよね。やはり、これはと思う人を一本釣りしないといい人は集まらず、またいい組織にはなりません。本部にこれはと思う人たちを集めて全学の環境安全本部をつくった後、全部局にもそれぞれの環境安全部をつくってもらうため、各部局長にお願いに回りました。教員は研究以外の仕事からはなるべく離れたいと思う傾向があるので、何かと

事務の人に厄介ごとを押しつけがちです。そこで、各部局には、教授と事務の人とのペアで環境安全部をつくってくれるようお願いし、とてもいい全学のシステムができたと思います。

　当初は本部の人を集めて週1回、朝1時間だけの会議をして、その結果を毎月、全学の担当者を集めてまた1時間ほど会議を開催しました。最初は労基署へ提出したり全学にお願いする調査書類など非常にたくさんの事案がありました。毎月全学の人を集めた会議では、中身は濃くして1時間足らずで終わらせました。1時間もかからない会議とは何事か、せっかく遠くから来たのに、とお叱りを受けても、会議は短い方がいいと思いました。ただ、少し残念なことは、私も含め主要な教員がいなくなった後、全学の環境安全本部は、次第に教員は本部棟にはいなくなり事務の人ばかりになってしまった点です。

　その他、本部兼任の時は法人化という大きな仕事の真っ最中でしたので、部局を越えて一緒に大変な時を過ごした、いわば同じ釜の飯を食ったという仲間もでき、また一日消防署長など、いろいろなことを経験しました。今思い返してもとても大変でしたが充実していた時期だったと思います。

飯吉　その人の能力に合った使い方をするのがトップの仕事で、そういう管理能力のある人とない人がいるんですが、中西先生はそれに長けた人なんですね。

中西　いや、そんなことありませんよ。必死でした。一番困ったのは、ボイラーやクレーンなど、法律で規定されている設備や機器などがたくさんあり、労働基準監督署からその管理書類をみんな持ってこいと言われた時でした。購入時はかなり前になるのでそんな前の書類が見つからず、それでもできるだけ手分けして集めました。あるところのボイラーは書類が見つからず、番号などはボイラーを止めていただき、ボイラーに刻まれた記号をなぞって資料を提出したこともありました。

飯吉　さっき申し上げたように、中西先生は現場主義ですからね。ただ頭で考えるんじゃなくて、実際にそこへ行ってということができる。

中西　自然というものは、人間の頭で考える以上のもので、寺田寅彦[14]が言うとおり自然はすばらしいと思います。もちろん研究は役に立たなくてはいけないとはいえ、最近はそこばかりが強く言われ過ぎています。自分の好きなことをやっていいというところが少なくなってきているので、今の研究者はその点が気の毒な気もします。

飯吉　そうですね。学問というのは本来そういうものなんですけどね。最近は、ある目的があって、それに向かってどう研究していくかというような話ですから、ある意味では邪道なんです。中西先生のようにまず現場へ行き、何が問題かということから始めて、それをどう解決するかを考えるのが一番おもしろいところです。

中西　そう思います。研究は本来的に神様というか、天然というか、自然がつくり上げたものに触れるということですから。私の場合、たまたま役に立っただけで、正直、何の役に立つのかはほとんど考えてきていませんでした。

飯吉　今の若い世代はなかなかそういう研究の仕方は難しくなってますね。

中西　どのくらい資金が得られるのかなどという思惑があまりに多いかと思います。

岩間　自由な研究というのは、やはり今大学の中で難しくなっているとお感じですか。

中西　非常に難しくなってきた気がします。考えてみますと昔も見込まれる成果を膨らませて書いて資金の申請をしたこともあるかと思います。でもかつての競争的資金では、少し関連性の遠いと思われる見込みでも採択していただけました。今はその査定はもっと厳しくなったと思います。

岩間　もっと具体的に何の役に立つのかという点が厳しく問われていますね。

中西　そうです。少しそこが行き過ぎているようにも思えます。

飯吉　研究と教育という話はどうですか。今の大学は教育だけでは足ら

ないわけで、研究をしながらというあたりが大事ですよね。

中西　そうですね。昔は研究している先生の姿を見せていることが教育の一部でした。今では研究資金を得るために、ほとんど先生は研究室内にいない傾向にあります。学生は、先生からよりも上級生から教わることが多く、そこもかわいそうな気がします。

飯吉　何とかなりませんかね。文科省も、その辺わかっているのかな。

中西　多少は理解されているのだろうとは思いますが、時代の流れかもしれません。米国では大学院生は学部学生に教えることも給料の内で、とても忙しいとも聞きます。

岩間　大学としてできることは何かありますか。

中西　私は現在、福島国際研究教育機構（F-REI）の仕事の一環で高校や高専を順番に回っていろいろな話をしているのです。高校生レベルからどんどん自然のおもしろいことを知ってもらえればいいのではないかと思います。

飯吉　でも、あの辺の高校は、身近でいろんなことが起こっていますから、他とは違うはずですよね。

中西　ええ。若い人のモチベーションが全く違うので驚きました。

飯吉　現場主義じゃないけれども、そういうところでやると、わかりが早くて教えがいがありますね。

中西　そう思います。話していて本当に目の輝き方が違いました。

飯吉　大学の学生たちも、やっぱり中で教えているだけではだめで、現場に連れていかないといけません。

中西　例えば放射線の話でも、みんな放射性物質とは何かということまでは教えてもらっても、放射線を利用した研究を興味深く語れる人ってあまりいない気がします。どうすれば規制値以下になるかとか、どうすれば危なくないかなど、安全性の話ばかりのように思えます。

飯吉　うちにそういう先生はいますか。どの先生が一番近いのかな。応用生物学部の前島正義先生ですか。

中西　前島先生はよくわかっておられると思います。

▶ 放射性物質の調査研究

中西　植物の中で水の循環があることも、放射性元素で標識した水を使うことでわかるのです。どの位の水がどこを通って動いているのかを、生きている植物の外側から、標識された水から放出される放射線をたよりに計測することができます。植物は、根から水を吸収すると導管とよばれる管を通って上に運ばれ、導管からはとんでもない量の水が水平に漏れ出して、周辺の細胞に含まれる古い水を押し出して、新しい水と置きかえているのです。これは茎でわかったことで、もともと茎に存在していた水は、つまり導管からあふれ出た水によって押し出されて導管に戻されて導管内を上に移動していくのです。シミュレーションすると、大体20分以内に、それまで茎に存在していた古い水の半分が新しい水に置きかわることがわかりました。そして導管を流れる水の速度は一定である事実も検証されました。常に多量の水が導管から水平に漏れ出して茎内の水を循環させている事実を実証できたのはとても大きな感激でした。でも、放射性同位元素で標識した水を使わないと出来ない実験なので、こういうことを研究している人はなかなか見つかりません。

飯吉　入れかわるんだったら、原発事故の汚染水も、ちゃんと仕掛けをしてやれば、ひとりでにきれいになるということですか。

中西　そうかもしれません。牛や馬も、普通の食事に戻して数十日、100日もいらないのですが、1、2カ月で体内に取り込まれた放射性セシウムは代謝されていき、次第に放射性元素は検出されなくなるのです。

飯吉　そうですか。それはいい話ですね。

中西　イギリスでは、チェルノブイリで汚染された牧草を食べた牛がかなりいたそうですが、汚染されていない餌を与えて何カ月か待ってから牛肉用の牛を輸出したと聞いています。こういうデータも日本に共有されていれば、多量の牛を殺処分せずに済んだのかもしれないと思います。

飯吉　殺してしまう必要はなかったんですね。

中西　ヒトの場合も同様かもしれません。福島県ではコシアブラなどの山菜が昔から食されてきました。コシアブラの放射性セシウム濃度は少

し高く、1500ベクレル/kgぐらいなのです。この食品の放射能の基準値は日本は100ベクレル/kgですが、外国は大体1000/kgなので日本の基準値はその10分の１、とても低い値となっています。コシアブラばかり３食で食べるわけではないこともあり、たまに山菜を少し食しても、人間も、外国の基準値以下の山菜で、数カ月たったら体内に取り込まれた少量の放射性セシウムなど消滅するという考えも成り立つかもしれません。

岩間　イギリスでは政策も実施されていたのに、日本へ知識は入ってきていないんですか。

中西　日本には残念ながらその考え方は入っていなかったのだと思います。

　他におかしいと思ったことは、外で放射線防護服を着ていて、その服のまま部屋に入っていくことでした。外にいると、放射性セシウムは降ってきますから、防護服の外側は汚れます。家に入る時は、その汚染した防護服を入り口で脱いで、中の汚染されていないきれいな服装で入れば、汚染物は家の中に入ってきません。防護服のまま入ることで、それまで汚染物が入っていなかった家の中を防護服から落ちる放射性物質で汚すことになるのです。それを誰も注意しないのは困ったことだと思いました。

岩間　基本的なところもあまり知られていないのですね。

中西　あまり知られてないことは驚きでした。屋根や壁に降ってきた放射性セシウムがついていますから、家の中でも屋根や壁を通ってきた放射線の検出はできるのですが、家の中に放射性物質が入り込んでいるわけではありません。放射性セシウムは花粉のように物として降ってきているのですから、屋根が空いていない限り家の中まで入れません。ただ、家の外では、風が吹くと木や建物などについた放射性セシウムは舞ったり落ちたりするでしょうから、防護服は外では外側が汚染されるのです。マスクも同じです。子供たちが教室でマスクをしていますが、むしろ建物の中に入るときには取った方が部屋の中は汚染されません。建物の外で身に着けていたものの外側だけが汚染しているのでそれを全部取って

きれいな体で入るという放射線防護の基本、それを誰も教えていないということがショックでした。放射性物質の扱い方以前の問題かもしれません。何か化合物が降ってきていると思えば、それがついていたらそのまま家に入りませんよね。少なくとも払って入るのかと思います。

　一方、放射性物質がなぜ有用かということに繋がるのですが、放射線の測定は考えられないほど高い感度をもつ測定法です。原理的には一原子から検出できるという通常想像できないほどの極少量の原子が見つかるのです。以前問題となったダイオキシンでも１ナノグラムが測れるか測れないかが検出限界量だったのです。１ナノグラムにはどの位の数の分子があるかといいますと、少なくとも10の14乗とか15乗など、かなりの分子数となります。そのくらいの量がないと、現状の分析装置で測れないのです。原理的に一原子がわかるなんていう世界はなかなかないのです。

岩間　放射性物質だけわかるのでしょうか。

中西　いいえ、光の場合にはフォトンも原理的には１フォトンから測れます。でも光は色々なものに吸収されることから定量性があまりありません。つまり２倍の強度の光が測定されてもそこにその物質が２倍あるとは限らないのです。逆に放射性物質は放射線量が２倍になるとその物質も２倍あるとわかるのです。そして放射性でなくとも各同位元素はたとえ数原子でも、どこかにくっついたらもう離れない性質を持っています。きっとこのテーブルの上にも数多くの元素がくっついていることと思います。ただ、その中で放射性同位元素だけが放射線を出すので検出できますが、他の元素については今のところ測定方法が無いのだと思います。

　私はかつて、植物を頼りに金の鉱脈を探すというプロジェクトに入っていたことがあります。当時の旧金属鉱業事業団が展開していたプロジェクトで、自然に生育する植物を調べて、もし金が検出されその金の濃度が高いと、その近くに金の鉱脈があるのではないかと予想するものでした。その植物中の金の測定は研究用の原子炉を使う放射化分析という

方法でした。この金の放射化分析の感度は考えられないほど高くて、も
しも金の指輪やネックレスをして、試料の調製をすると装飾品から出て
いる金の蒸気によって試料がコンタミしてしまう、つまり試料からコン
タミしてくっついた金が測定されてしまうのです。このものすごく高い
感度というものは、人間の感性をはるかに越えています。これは、その
方法で自然に生育している植物中の金の量を測定するというおもしろい
プロジェクトでした。

　先生は、弘法大師様を溺愛しているとか、そんなことはありませんよ
ね。

飯吉　弘法大師は好きですが、愛してはいません(笑)。

中西　弘法大師のいわれのあるお寺の近くには、水銀鉱脈があると言わ
れています。かつて水銀はアマルガムにして朱肉の原料となっていまし
たが、その水銀の利権を一手に握っていた人たちは丹生一族と言われて
いました。そして弘法大師が全国行脚するための経済的支援は丹生一族
がしていたと言われています。弘法大師様といえども、水銀鉱脈には興
味があったのではないかと思われます。

岩間　弘法大師は高野山を開かれたように山岳の地理にも詳しいですし、
浪人時代に山師をしていたという説もありますね。

飯吉　弘法大師は潤っていたわけですね。

岩間　確か唐に行ったのも自費でしたね。

中西　昔は、鉱脈をどう探していたのかというと、自生植物が一つの目
安ではなかったかと思います。カナケ（金気）グサと呼ばれるヘビノネ
ゴザという植物は鉱脈の付近でその生育が特に目立ったということから
鉱脈探しにはこの植物が頼りにされていたとも言われています。欧米で
も植物など生き物を頼りに金脈を探すということが随分なされていたよ
うです。一説によるとある鳥の飛んでいく方向に金脈があるとか。外国
ではどう鉱脈を探し出すのかという本も出版されていますが、日本では、
居住権とは別にその土地の採掘権があり、住んでいるからといって、自
分の庭から金の鉱脈が発見されても、採掘権が無ければ自分のものにな

らないと聞いています。ただ外国では自分の庭から出ると自分のものになる国もあるそうです。

岩間 そうなんですね。

中西 水銀についての話に戻りますと、もう数年前に他界されてしまわれた丹生一族の末裔の方に東工大の教授だった方がおられました。かなり前にお会いしたとき、「先生のご先祖様は水銀の権利を持っておられ、かつ弘法大師様に経済的支援をしていらしたのですよね」と伺ったら、その通りだと言われました。

植物というのは、その土地の様子が結構よくわかっていてその状況によく適応しているのです。例えば、自生植物にはセレンを集めるものがあります。アメリカの中西部の広範囲に渡るセレン濃度の高いところでは、ある植物ばかりが生育しており、他の植物を駆逐しています。マルコ・ポーロの日記にも、ある場所を通るとロバなどの動物が病気になるが、原因は自生している毒草のためではないかと書いてあります。

1900年ごろ、放し飼いにしていた羊が大量に死んでしまったことがあり、アメリカに羊委員会ができました。なぜだろうと原因を調べてみたら、セレンを集める牧草が多く自生していることが見つかりました。それも、そこに生育していた植物体内のセレン濃度は他の牧草と比較して1000倍ぐらい高くなっており、丈も高くなっていました。セレンは体内に入るとどうなるかと言えば、硫黄と置きかわってしまうのです。元素の周期表を見るとわかるのですが、セレンは硫黄の真下に位置し、化学的性質も似ています。そこで体内で硫黄と置きかわり暈倒病という病気を引き起こし、それが原因となり多数の羊が犠牲になってしまったことがわかったのです。最初の症状としては羊の蹄が取れて歩けなくなってくる病気です。セレンは植物の中で一部、ジメチルセレンとなり葉から蒸発していくのですが、それはニンニク臭を放ちます。馬はにおいに敏感でニンニク臭の牧草はあまり食べなかったのに対して、羊はにおいに構わずその草を探し出してでも食べたため被害が大きくなったと考えられました。動物でも食習慣の差が生死を分けたことになります。ただ、セ

レンを牧草がなぜ集めるのかについてはまだわかっていません。何しろ、1 kgの土壌に1 mgのセレンを入れてよく混ぜあわせ、そこに育てたコムギの種でネズミを殺すことができると言われるほど毒性のある元素です。

飯吉 興味深いですね。

先ほどの現地で牛などの家畜が汚染され、いったん蓄積してしまったらもう戻らないから殺せという話も、その必要はないということなのですよね。被曝は2カ月ぐらいでクリーンアップされるということを知らないと、もう殺せという話になっちゃうので、その辺もこの対談でしっかり語っておきましょう。

岩間 福島では中西先生をはじめとする東大の先生方が研究されたのですよね。

中西 農学部の多くの人たちが福島の現場に行って、いろいろ調べました。

岩間 今先生がおっしゃった話は知られているのでしょうか。

中西 日本語の本も2冊出しましたので、読んでくだされば幸いです。

岩間 NHKブックスから出されていましたよね。『土壌汚染』（2013年）と『フクシマ 土壌汚染の10年』（2021年）ですね。

中西 そうです。でも、まだあまり知られていないかもしれません。NHKブックスというのはあまり商売っ気を表に出さない気もします。最初、1冊目を出版するとき、「本の帯をどうしましょう」と聞かれて、「野依良治[15]先生から一言いただけたらと思うのですが」と答えて野依先生から文章をいただいたのですが、それが本の帯の裏側に印刷されているのです。「野依先生の言葉はできれば顔写真をつけて帯の表面に出したら良いのでは」と言いましたら、「そういうことはしない」と言われました。とても真面目な出版社という印象を受けました。

岩間 それはおもしろいエピソードですね（笑）。

飯吉 中西先生は星薬科大学の元学長として教育と研究のバランスの問題をどう考えていらっしゃいますか。

中西 薬学は少し特殊な分野で、大学にとって多数の学生が薬剤師の国家試験に受かることがとても大きな課題です。でも、一方では研究もきちんと展開されていなければなりません。

現在、薬学には6年制と4年制があって、4年制の人は薬学部を出ても国家試験を受けることができません。カリキュラムが異なるようになり、6年制の学生だけが受験できることになりました。学生数は国家試験を受ける学生の方が4年制よりもはるかに多いので、まず受験向けの教育に重点を置き、その教育の要の先生を中心に、その先生方のグループを非常に大切にしました。国家資格の合格率が大学受験生に大きく影響を与えるためでもありました。

6年制と4年制の定員はそれぞれ260人と20人でしたので、かつては20人の方を増やそうと努力したのですが、東京都は学生数を増やさないと決めたので無理でした。ただ、4年制の方は他の学部と同様、その後の大学院は5年間となるのですが、6年制の方は修了後、そこからさらに大学院に4年間行かなくてはならないので、博士号取得までの合計の年数は4年制と比べて1年余計にかかることになります。こうなると6年終了後に大学院へ進学する学生はほとんどいません。研究者向きの優秀な学生でも、卒業して国家資格を取ると、目の前に薬局などの勤め先があり、安定で給料が高いとなれば、みんな大学に残るよりも就職先に行きがちです。ただ、4年制の学生の場合には、修士課程に進んだのち研究職を目指す学生もいないことはありません。

飯吉 星薬科大学というのは、たしか星一さんのつくった大学ですね。

中西 そうです。星一という方は知れば知るほど素晴らしい人です。

飯吉 その流れはまだ残っているんですか。

中西 格言以外にはあまり雰囲気は残っていないのかもしれません。星一さんは皆から非常に尊敬されていたのですが、息子の星新一さんの代

のときに星製薬が破産してしまったのです。でもその時の負債を始め後始末については、今の星薬科大学の理事長である大谷家がすべてきれいにしたと伺っています。

　星一という人は、優れた企業家としてだけでなく、選挙とは何かを皆に講演したり、衆議院議員にトップ当選したりもしていて、調べていくとすばらしい人だったようです。星新一さんによると、父親の星一氏は、政治的にも財的面でも存在があまりにも大きくなり、政府が恐れて、麻薬王というレッテルを貼って引き下ろされたと書かれています。なぜ麻薬が出てくるのかというと、当時から日本には痛みの薬があまりないのです。外国では患者さんが痛くないように、麻薬はすぐに使われるのですが、日本では痛みはどちらかと言えば精神的に我慢する方向が今でも生きているように思えます。星一さんは習慣性にならない合成麻薬をつくることを試みたそうですが、とにかく麻薬王だとレッテルを貼られ、どんどん評判を落とされたと星新一さんは書いています[16]。彼は会社経営はうまくなかったのですが、作家として有名となり、父親のことはきちんと尊敬していたことがわかります。

飯吉　星新一は父親のような人ではありませんでしたよね。

中西　研究者や起業家としては向いていなかったのではないでしょうか。逆にショートショートに代表されるような作家としての才能にとても恵まれていたのだと思います。

　現在の星薬科大学の理事長を担ってきている大谷家の方々は、ホテルニューオータニなども経営されています。星製薬の負債などを全部きれいに片づけた二代前の大谷米太郎さんは、体格も良かったらしく富山県からお相撲さんになろうと出てきた人です。ホテル業と鉄鋼業で非常に利益を得ました。現在はその方の孫の代になり、先代が亡くなるときに、ホテル業をとるか鉄鋼業をとるかの選択になったそうです。中国で非常に利益をあげた鉄鋼業を結局手放し、大谷家としてはホテル業を選び、現在のホテルニューオータニの経営をされています。その他に古河庭園なども持っておられたと伺いました。

飯吉　教育・研究にはあまり熱心じゃないんですか。

中西　星薬科大学とは、星製薬が社内の人の教育用につくった組織がもとなので、当時、事業の中心は教育よりも星製薬の方だったと思います。後をきれいにした大谷家は、東洋一だった星製薬を買った際、気がついたら教育機関もついていたと伺っています。もちろん現在は教育をとても大切にされています。

　20年か30年か大分前、慶應と一緒になる話があったのですが、結局うまくいきませんでした。当時推進派だった学長と理事長の関係がうまくいかなくなり、理事長としては、今まで通りうまく大学が維持されればいいという状況になったのだと思います。そういう点では、私にもあまりこういうことをやれという指示もないので楽だったのかもしれません。

飯吉　学長には特に何も注文は来ないんですね。

中西　コロナ禍では結構大変でしたが、雰囲気からこの状況をうまく乗り切れということは感じられました。

飯吉　うまくいったんでしょう。よかったですね。

中西　何とかうまくいきましたが、本当に土日がほとんどない状態でした。入試も何種類かあり、一人でも病欠となるとその一人のためにその種類の入試を、2回することになりました。それから、薬剤師の資格を取るための全国共通の試験や内部の試験もあるのですが、学生の健康状態により複数回行われました。コロナ前、最初の年は学生のクラブ活動に誘われたり、学生と会食をしたりして、若い人たちといろいろな話ができ、こんな楽しい職場はないと思ったのです。

飯吉　いい学長さんですね。

中西　若い人の話を生で聞いていると、とてもかわいがられて育ったことがわかるような、とても性格のいい学生さんが多いですね。

岩間　女子学生が多いんですか。

中西　女子学生は全体の7割です。知っている先生方のお孫さんが何人かいて楽しかったのですが、2年目と3年目はコロナ禍で土日が随分つぶれ、かなり、いや本当に大変でした。

飯吉　今は少し落ち着かれたんですか。

中西　退任した今でも、年に1回ぐらいは講義をしてくれと言われ、イメージング[17]の話をしに行っています。式典などがあるときは案内が来るものの、あまり辞めた人が行くのもよくないかもしれないと思っています。

岩間　最後に、中西先生の今現在のご研究を教えていただけますか。

中西　植物を形作っている炭素の元は空気中の二酸化炭素なので、どの組織で固定された二酸化炭素がどの組織をつくるかを調べています。二酸化炭素を$C14$で標識すると植物の外からどこに行くのかも見え、リアルタイムでその動きを辿ることができるのです。例えばシロイヌナズナという植物では、根のすぐ上に円状に広がって育つ大きなロゼットと呼ばれる葉で固定された炭素は中心となる真ん中の主茎の上部と根に運ばれて新しい組織をつくります。他の場所、茎から育つ小さな葉で固定された炭素による光合成産物は主軸ではなく脇に伸びた茎の上部に運ばれて新しい組織をつくります。大きな葉は植物のメインの骨格となる組織、つまり根と主軸を育て、他の組織からの炭素はそれ以外、脇芽の先に運ばれるというように各組織の果たすべき役割もきちんと決まっているのです。

　また、ダイズでは、生え始めた小さな本葉はある程度の大きさになるとすぐ上に生え始めた葉がうまく育つよう自分がつくり出した光合成産物を運びます。そしてその葉がある程度育つとその葉を飛ばしてさらに上に生え始めた小さな葉へと光合成産物を運びます。おもしろいことにはその基本になるある程度の大きさの葉だけに光を照射して光合成をさせれば、その先の組織を暗くしても基本の葉がつくり出す光合成産物によって暗い中の葉やサヤまでできるのです。主要な葉だけがきちんと生きていける環境がつくれれば植物体全体に光を当てる必要はないかもしれません。

　光合成産物が師管のどの部分を利用して運ばれるのかについても調べています。ダイズでは三つの葉の片側でつくられた光合成産物はその運

ばれる先の葉も片側に配られるというように、光合成産物の運ばれる
ルートは決まっているのです。もちろん、上方向だけでなく下方向にも
運ばれ、植物全体でどこが大切な組織か、自分が何をすべきかがすべて
わかっているのです。

飯吉 賢いですね。

中西 そうです。植物はとても賢いのです。

飯吉 それは、やっぱり試行錯誤で身につけたのでしょうか。

中西 わかりません。でも、若い組織、つまり子供が大切ということを
植物はわかるのだと思います。赤ん坊が泣くからミルクをあげようとい
う感じで物を運ぶのかもしれません。

岩間 それではお時間となりました。本日はどうもありがとうございま
した。

中西友子（なかにし・ともこ）
1950 年生まれ。立教大学理学部化学科を卒業し、1978 年に東京大学大学院理
学系研究科博士課程修了。その後、財団法人実験動物中央研究所研究員、日本
ゼオン技術開発センター研究員、東京大学大学院農学生命科学研究科教授、星
薬科大学学長などを歴任。2021 年より中部大学理事。

参考文献
（植物の RI イメージング解析について）
(1) T.M. Nakanishi, Novel Plant Imaging and Analysis – Water, Elements and
Gas, Utilizing Radiation and Radioisotopes. Springer, (2021)
https://link.springer.com/book/10.1007/978-981-33-4992-6
（福島環境汚染について）
(2) 中西友子『土壌汚染　フクシマの放射性物質のゆくえ』NHK ブックス 、2013
年
(3) 中西友子『フクシマ 土壌汚染の 10 年』NHK ブックス、2021 年
(4) T.M. Nakanishi et al. eds, Agricultural Implications of the Fukushima Nuclear
Accident. Springer（2013）
https://link.springer.com/book/10.1007/978-4-431-54328-2
(5) T.M. Nakanishi et al. eds, Agricultural Implications of the Fukushima Nuclear
Accident. The first Three Years. Springer（2016）
https://link.springer.com/book/10.1007/978-4-431-55828-6

(6) T.M. Nakanishi et al. eds, Agricultural Implications of the Fukushima Nuclear Accident. Springer – After 7 Years. Springer（2019）
https://link.springer.com/book/10.1007/978-981-13-3218-0

(7) T.M. Nakanishi et al. eds, Agricultural Implications of the Fukushima Nuclear Accident. Springer – After 10 Years. Springer（2023）
https://link.springer.com/book/10.1007/978-981-19-9361-9

※（1）、（4）～（7）は無料で誰でもダウンロードできます。

注

1) 南フランスのマルセイユ近くにある原子力研究センター。フランス原子力委員会が 1959 年に建設した。トマカク型（→ p.48, 注 22 参照）核融合炉の建設が進められている。
2) 原子および分子イオンを作成する装置のこと。イオン源。
3) 電流を流し光や熱電子を放出する細い金属線。
4) 気体放電現象の一種。電極を接触させ、電流を流している状態で電極を引き離すと電極間にアークが発生する。
5) 荷電粒子や分子が電場中を移動する現象。あるいは、その現象を利用した解析手法。たんぱく質や DNA は電圧をかけたときに移動する性質があるため、この移動距離の違いによって分離を試みる。
6) Erwin Schrödinger（1887 ～ 1961）　オーストリア出身の理論物理学者でドイツ、イギリスなどで研究した。量子力学の発展に貢献し、1933 年にノーベル物理学賞を授与される。
7) 遺伝子組換え実験は、扱う遺伝子組換え生物等の危険度により拡散防止措置がP1 ～ P4 のレベルに分類され、それぞれ施設・設備の基準が定められている。
8) 生体内に異物（抗原）が入り込んだ時、体から追い出すため形成されるたんぱく質の総称を抗体といい、抗原の特定の部位に鋭敏に反応する抗体を人工的に増殖させたものがモノクローナル抗体。
9) Toshio Murashige（1930 ～）　ハワイ生まれのアメリカの植物学者。
10) 植物細胞の培養に学術的に用いられる培地。
11) Lubert Stryer（1938 ～）によって書かれた生化学の教科書 Biochemistry, Freeman, 1975。初版発行以来、弟子筋の研究者も加わって何度も補訂が重ねられ、2019 年には第 9 版が出版された。初版から生化学の決定版教科書として定評があり、「ストライヤー」と言えば本書を指した。日本語訳は『ストライヤー生化学』として現在第 8 版まで東京化学同人から刊行されている。
12) TQM（総合品質管理）の進歩に功績のあった民間団体や個人に授与される経済学の賞。
13) 植物に必須な元素は、窒素（N）、リン（P）、カリウム（K）の 3 大要素に加えて、カルシウム（Ca）、酸素（O）、水素（H）、炭素（C）、マグネシウム（Mg）、硫黄（S）、鉄（Fe）、マンガン（Mn）、ホウ素（B）、亜鉛（Zn）、モリブデン（Mo）、銅（Cu）、塩素（Cl）、ニッケル（Ni）の 17 種類。

14) 物理学者、随筆家。実験物理学、気象学、地球物理学で業績をあげる一方、活発な文筆活動を展開し多数の随筆や俳諧作品を残した。『寺田寅彦随筆集』全5巻（小宮豊隆編、岩波書店、1947〜8年）は現在でも増刷されて読まれ続けている。
15) 日本の化学者（有機化学）。名古屋大学教授、理化学研究所理事長などを歴任。2001年にノーベル化学賞を受賞。
16) 星新一は父親の星一について『人民は弱し 官吏は強し』（文藝春秋、1967年）、祖父の小金井良精について『祖父・小金井良精の記』（河出書房新社、1974年）という伝記を書いている。
17) 生体現象を様々な方法で測定し画像化・視覚化すること。

入門するキミに
—自然から学ぼう—

　つい最近まで、新型コロナウイルス感染症の流行により、学校に行けず友達とも会えず、自宅で考えることが多かったのではないかと思います。ただ、この大変な事態を経験したキミ達だからこそ、他の世代の人とは異なることを多く学びその感性が養われたのだと思います。

　私は最近、福島の高校や大学で講演をする機会が度々あります。そこで特に感じたことは、福島の若い人たちの、自分の将来を考える力の大きさです。身近な人や家族のいなくなったという非常に痛ましい状況がある中で、自分は何をしていくことがいいのかをしっかり考えられているのです。

　心理学者の河合隼雄先生は、人間というのは自分で自分を知らない鉱山のようなものと言われております。自分の人生のあらゆる可能性を考えてほしいのです。こんなこともできるのではないか、これもやれるのではないかと、自分を発展させ、イキイキと生きてほしいのです。

　また、学校で学ぶことは楽しんで学ばないと身につかないと思います。しかしその反面、苦しさを伴わない学びもまた本物ではないのです。これから自分はどのように学んでいくのかという自立性、つまり自分の人生をどのような物語に仕上げていこうか筋立てを考えながら進んでみる

のはいかがでしょうか。

　そしてひと言学ぶ内容について言わせていただければ、自然にもっと触れて親しんでほしいのです。物理学者の寺田寅彦は、雲の形や風の動きが描き出す模様をはじめとして、自然がつくり出してきたものや現象にとても興味を抱きその感動を残しています。是非そのエッセイ集を一度読んでみてください。

　私は長年植物を扱ってきましたが、その中で分かってきたことは、植物の姿は実は私たちが普通思い浮かべるものとはかなり異なるということです。例えば、植物で大切な器官である根ですが、その姿には再現性はありません。どんなに同じ土壌をつくってみても、同じ形の根はできてこないのです。例えDNAが同じでも同じ種類の植物は同じ形には育たないのです。それが生物の個性というものかもしれませんが。

　物理では自然の法則を、数学を使って美しく解き明かしてきました。また化学は実際にいろいろな物をつくり出し、それらは私たちの身の回りにあふれるようになりました。科学の発展によって私たちの暮らしは物質的に豊かになってきたのですが、私たちの心の豊かさはどうやって獲得すればいいのでしょうか。ひょっとしたら植物にそのヒントがあるのかもしれません。そんなことを考える上でも、生き物を育んできた自然をもっと見つめて考えてほしいのです。

生物の脳から宇宙を探る

平田　豊

▶ 平田先生の研究内容

岩間　では、よろしくお願いします。お二人は、こういう感じでお話を
されることはあるのでしょうか。

飯吉　ないですよね。

平田　ありませんでした。

飯吉　よく会いますが、せいぜい仕事の話ですかね。僕がわからないこと
を時々聞いたりはしますが、対座してかしこまって話すのは初めてじゃ
ないかな。

岩間　平田先生はAI数理データサイエンスセンターのセンター長もさ
れていますので、そういったことでもお話をされる機会は多いですよね。

平田　仕事については、理事長室で何度かお話ししたことがあります。
でも、今一つ思い出しました。私がジョブハンティングをしていた1999
年の夏、中部大学で当時学長でいらした飯吉先生に面接していただきま

した。

飯吉 覚えていないな。でも、とにかく平田先生は印象に残っていて、いつも期待しているスタッフの一人です。

平田 ありがとうございます。これも覚えていらっしゃらないかもしれないんですが、中部大に着任して間もない頃、若気の至りで、当時学長だった飯吉先生に、「こんなところでは研究できませんから何とかしてください！」と直訴したこともありました。そうしたら、まずちゃんとした部屋に移してくださって、その後、私立大学高度化推進事業のメンバーにも加えていただいて、実験環境を整える機会をいただきました。

岩間 最初は違うところに部屋があったのですか。

平田 はい。学生たちが使う研究室と私の居室が別の棟の遠く離れたところにあって、しかも実験室は床のタイルが剥がれたぼろぼろの物置のような部屋でした（笑）。

飯吉 変わった先はまあまあでしたか。

平田 すばらしいところで、本当に感謝しております。学生たちの部屋や実験室と私の居室は隣同士で、いつでも簡単に行き来できるようにしていただきました。すごくいい環境で仕事をさせていただいています。

岩間 ではまず平田先生のご研究について伺っていきたいと思います。平田先生はどういったご研究をされているのでしょうか。

平田 私がおこなってきたのは、脳を工学的な理論や技術を使って理解しようという、エンジニアリングというよりもサイエンスの要素を多く含む研究だと思っています。脳はいろいろな機能をつかさどっているわけですけど、そのうち運動の制御、運動の学習といった、われわれが新しい運動技能を身につけたり、身につけた技能を忘れずに維持したりするための脳の機能を生み出す神経メカニズムについて研究しています。その先にあるのは、われわれ動物にはできてまだロボットにはできない運動の制御ですとか、特に今のロボットは誤った動作を正す学習とか環境に適応した行動が不得意ですので、脳から学んでその結果をロボットに人工知能として実装して、ロボットを動物のように動かすなどの目標

があります。

岩間　人間の脳の動きの測定とか、筋肉の測定とか、そういったことをなさるのでしょうか。

平田　はい、人間ももちろん対象としますが、人間の脳の中を調べるのは制約が多いので、そこは動物を、特に私の研究室では金魚を使って、魚の脳の活動を電極を刺して測ったり、魚の3次元空間の中での動きを計測したりする研究もしています。

岩間　金魚というのは、そういう研究対象としてよく使われるのですか。

平田　一口に運動と言っても本当にいろんな運動があるんですが、特に私が注目しているのは目の動きで、眼球運動に関しては魚も人もかなり似た制御メカニズム、神経機構を持っているので、目の運動の研究には魚がよく使われています。中でも金魚は手に入りやすく、とても丈夫なので、時間をかけていろんなことを覚えさせる学習の間中、元気に実験に参加してくれる素晴らしい実験動物ということで、よく神経科学の実験に使われています。向井千秋さんが宇宙に行かれたときに、弥富の金魚[1] を連れていって実験に用いた実績から、宇宙での飼育や行動実験のノウハウが日本にはありますので、地上で金魚を用いたおもしろい結果が得られたら、宇宙実験を実施できる可能性もあると思っています。

岩間　宇宙での研究には平田先生の格別なこだわりがあるのでしょうか。

平田　はい。大学院に入った頃に宇宙飛行士になりたいと思った時期がありまして、そこからずっと宇宙に興味を持っています。昨年10月に採択された JSTのCREST（→p88, 注10参照）という大きな研究プロジェクトも重力をキーワードにしたもので、今後、人類が月や火星に進出したとき、重力環境が変わってもわれわれがきちんとその環境下でスポーツなどの運動ができるのか、新しい運動技能を身につけられるのか、といったことを研究するプロジェクトです。その前にも、宇宙開発事業団でポスドク研究をしているときに、ガマアンコウという魚の宇宙実験に携わりました。中部大で研究を始めてからは、過重力下で運動の学習をすると通常重力下での学習よりも効率よく短時間で学習が進むことを金魚と

人で実証しました。過重力での運動のトレーニングが効果的という話は『ドラゴンボール』（鳥山明・作）の中でも出てくるもので、現実世界でそれが正しいことを証明したということで、ネット上でも話題になり、『ドラゴンボール』オフィシャルサイトにもその内容が掲載されています。このように重力や関係する研究を進めていれば、いつか宇宙実験をするチャンスが巡ってくるはずと期待しています。

岩間　ずっと宇宙に興味を持っていらっしゃった飯吉先生から見て、宇宙空間での金魚の実験に関してはどんな印象を持っていらっしゃいますか。

飯吉　宇宙での実験の際には、何か実験動物を持っていかなければいけないというのはわかるんですが、何を持っていくかという視点が非常に大事だと思うので、まずなぜ金魚を選んだのかというところを教えてください。

平田　最初、毛利衛さんが宇宙に行かれたときには、弥富の鯉を連れていきました。この実験は鯉の平衡感覚と宇宙酔いの関係を調べるものでした。平衡感覚については、三半規管や耳石器などのセンサーのデザインや脳内での情報処理の様式が進化上早い段階から決まっていたようで、魚から人までかなり類似性が高いことが知られています。ただ、宇宙に飛んだ鯉は、かなり大きな個体だったので、宇宙では飼育に使える水の量に制約があったりフィルターのキャパシティに限界があったりで、アンモニア濃度や硝酸等の濃度がすごく高い水環境になってしまいました。そのため、帰還した鯉の健康状態も万全でなく、結果の信ぴょう性も十分に高いとは言えないものでした。そういう実績を勘案して、もうちょっと小さく、飼育が容易で、かつ鯉に似ている金魚を選んだのだと思います。

　もう一つ、内耳の耳石器というところが重力センサーになっていて、当時（1990年代後半）、名古屋大学環境医学研究所の森滋夫先生の研究チームが、外科的手術で上手に耳石の石を取る技術を開発されていたんです。小さな魚だとその石がとても小さいんですが、向井さんが実験をされた

ときの金魚は、体長は10cmもなかったんですけれども、その金魚から重力センサーである耳石の石をとってしまうことも可能となりました。ですから、わざわざ大きな鯉を持っていかなくても、水質も安定しやすい小さな金魚で実験をすればよいということになったのかと思います。

　現在考えられるもう一つの理由は、その後の脳科学研究で金魚が特に目の動かし方（眼球運動）を学習できることがわかってきたことが挙げられます。目の動きには、3次元空間内での頭の動きや、重力に対する頭の傾きを脳でどのように知覚しているかということが反映されます。金魚は運動の学習のモデルとしてすごく優れた実験動物であり、特に異なる重力環境下での運動と重力の知覚について研究するのに適した実験対象と考えています。

飯吉　今も使っているんですか。

平田　今も研究室にたくさん金魚がいます。

岩間　何匹ぐらい飼育しているんですか。

平田　常時10 〜 20匹飼育しています。30匹ぐらいまとめて買いまして、足りなくなってきたらまたオーダーしています。金魚は弥富の養魚場で育てられたものを使っています。

岩間　餌やりは先生がされているんですか。

平田　学生さんが、アンモニア濃度や水質のチェックも含めて、健康管理をしながら飼育してくれています。

岩間　いいですね。動物も好きだけどロボットも好きという学生にとっては、両方に関われる研究というのが非常に魅力的なのではないでしょうか。

平田　理工学部では他にあまりない研究室ですね。

▶ ロボットと脳

岩間　動物の動きを見ながら、それをロボットなどに活かしていくということなんですよね。実際にロボットとかかわる活動も日常的ですか。

平田　そうですね。ただ、同じ学生が金魚の実験からロボットの制御ま

で全部研究するという感じではなくて、ロボットへのAI搭載の研究をする学生たちはロボット班、金魚の実験をする学生たちはお魚班というように、グループに分かれています。それでミーティングのときにそれぞれの問題や成果を全員でディスカッションをしながら研究を進めています。

岩間 ロボットの方のグループは、やはり目の動きにかかわりのあるロボットを今扱っていらっしゃるんですか。

平田 それが、目に特化したロボットの研究をしているわけではないんです。運動というのはおもしろくて、いろんな体の運動は特に小脳という部分で学習がなされると考えられているんですが、小脳はどこを切っても金太郎飴みたいに同じ構造で、腕も目も、それらの運動の学習を担う小脳の神経回路はほとんど同じなんです。ということは、目の運動の学習が小脳でどう実現されるのかがわかれば、他の運動でも同じメカニズムで実現されていると推測できます。したがって、目の運動の学習を小脳がどう実現しているのかを動物実験で調べ、それを数理モデルで記述し、プログラムで実現した上で、そのプログラムをロボットの腕や足を制御することに応用しています。

岩間 いろんなところに展開できそうな研究ですね。スポーツ選手の眼球運動計測とパフォーマンス改善トレーニングといったこともされていますね。

平田 そうですね。脳がどのように運動の学習を実現しているかを目の運動を使って調べるには、まず目の動きを精度よく計測する必要があります。そのような計測実験をしているうちに、目を見ただけで、この人は眠いんだなとか、この人は今こっちに注意を向けているなとか、その人の脳のいろいろな状態を推測できることがわかってきたんです。学生さんや私自身もよく被験者になるんですが、眠くなったりするだけで、目の動きや瞳孔の大きさがはっきりと変わってきます。15年ぐらい前から、特に自動車関連企業の方たちから、目からドライバーが今どういう状態なのかを探りたいという共同研究のお誘いがかかるようになりまし

た。

　その人が今どういう状態にあるのかは、本人に聞いても、潜在的な部分は本人の意識にはのぼりませんし、あるいは、人間なので、こう答えてはいけないのかななどという意識も働きます。でも目の動きを測れば、特に覚醒度や注意や好みなど、その人の本心や本音、潜在的な部分までわかってくることが、いろんな条件で実験をして明らかになりました。

飯吉　脳の神経細胞というのはすごい数ですよね。

平田　860億個と言われています。

飯吉　天文学的な数字です。さらにその神経結合といったものの働きが何万倍もあり、それを通して意識が出てくるんですよね。

平田　そのはずです。

飯吉　その辺のところは最近どのぐらいわかってきているんですか。なぜ意識が生まれるのか。

平田　そこはすごく興味深いところですね。

　1950年代に、アラン・ホジキン[2]とアンドリュー・ハクスレー[3]が一つの神経細胞のすごく精密な微分方程式で記述された数理モデルをつくり、それでノーベル賞を取っています。さらに、飯吉先生が今おっしゃったように、シナプス[4]を介して神経細胞同士がどう結合しているかまで、最近のヒューマン・コネクトーム・プロジェクトでわかってきたので、そのホジキン-ハクスレーのモデルで1個1個すごく精密に記述できるようになった860億個の神経細胞モデルを、脳のコネクトーム通りにすべて上手に結合させれば、計算機の中に意識のようなものが生まれるんじゃないかみたいなことが、少し前まで言われていました。当時の計算機パワーが足りなくて、そんなことは現実にはできないけれども、理屈ではできるんじゃないかと言われていた時期があったわけです。でも、現在では既に、スーパーコンピューターや、ネットワークでコンピューターをたくさんつなげて、860億個のニューロンを解剖学的な結合のごとく忠実に接続し、シミュレーションできる環境になっています。それなのに一向に計算機内に意識が芽生えたというニュースは出てこないので、恐

らく現在そういうことができそうなグーグルもアマゾンもまだ実現できていないんじゃないかと推測しています。やはり、単にニューロンを模した数理モデルをシミュレーションできるようプログラムを書き、それを半導体でできたCPUやGPU上に実装したとしても、われわれのような意識や心は生まれないのではないかと思っています。

飯吉 そうすると、心をもう少しサイエンティフィックにつかむためにはどうすればいいんですか。

平田 最近のChatGPTですとか、いわゆる大規模言語モデルと呼ばれるものは、規模としては、恐らく脳と同じぐらいのニューロン数か、結合数でいうともっとたくさんのパラメータ数を持っています。ただ、ニューロンの接続のさせ方が全く違う構造になっています。ChatGPTを使っていると、チューリングテスト[5]をちゃんと通過してしまい、本当に相手は人間なんじゃないかと思うような応答をしてきたりもするんですけれども、自分で目的を持って応答しているのではなくて、ただ単にインターネット上にあるいろんな文章情報から統計的に傾向を学び、一番それらしい答えを返しているだけで、そこにChatGPT自体の意思はありません。

　基本的には、ニューロンとニューロンのつながりで電気信号をやりとりし、電気的な神経インパルスで脳の情報が表現され、最終的に意識が生まれてくるとずっと考えられていたんですが、どうもそれだけじゃなくて、脳の活動には神経伝達物質とかホルモンとかいろんな化学物質が影響しているので、もしそれを人工的に再現しようとするなら、恐らくもうちょっと化学プロセスも含めた形でモデル化しないと、なかなかわれわれの意識のようなものは生まれてこないんじゃないでしょうか。そう考えると、心をサイエンティフィックにつかむには、人工的につくってみるのと並行して、脳内の生物物理的な理解や計算論的な理解をもっと深める必要があるのだと思います。

岩間 ChatGPTは脳活動の再現でなく、人間の視覚に入る文字情報の選好などをアルゴリズムに組み込んでいるそうですね。まるで人間が回答しているように見えるのは、質疑応答のアルゴリズムを組み込み、機械

的応答を避けるようにしているとか。

飯吉　平田研究室では脳活動の科学的再現にチャレンジしておられるんですか。

平田　私の研究室では脳全体ではなく、小脳に関してだけです。人工小脳、すなわち小脳の数理モデルをつくっています。

飯吉　小脳はあまり一般的ではないんですか。

平田　意識とは関係ないだろうと言われています。小脳を事故で損傷してしまったり、生まれながらに小脳が発達しなかった方でも意識は変わらずに存在することがわかっています。つまり心の活動は小脳がなくなってしまう前と後でそんなに変わらないようです。小脳と大脳では神経のつながり方が全然違うので、恐らく大脳の持つ層構造や各層のニューロンが互いに接続する様式が重要なのかと思います。

飯吉　そういう脳の一番のエッセンスのようなものをモデル化する研究はしていらっしゃらないんですか。

平田　意識が生まれるためのエッセンスというのは、今みんなが探しているHoly Grail（聖杯）なんじゃないかと思いますが、私の研究室ではまだそこまで広げられていません。

飯吉　ぜひ平田研からヒントが出てくるといいなと思います。

平田　ヒントということでしたら、金魚で実験をしていると、彼らも意識を持っていろいろ考えているかのような、すごく高度な行動をするので、そういうところに脳の一番のエッセンスをモデル化するヒントがあるのかもしれません。例えば、脳の一番優れた機能の一つは未来を予測できることだと思うんですが、最近使っているゼブラフィッシュという小さな魚は、生まれて５日ぐらいから予測をしているような行動をとるんです。ですから、そういう脳のエッセンシャルな機能は、人間の860億個というような大きなニューロン集団がなくても、意外ともうちょっとシンプルなところにあるんじゃないかとも考えています。

飯吉　それはおもしろいですね。

岩間　電気信号だけでなくホルモンや神経伝達物質もかかわっていると

なると、相当いろんな可能性がありますから、再現することは難しそうですね。

平田　そうなんですよね。神経インパルスは、出たか出ないか0・1で記述できるので、そういう意味では計算機にも実装しやすかったんですが、実際はそれだけではないようです。特に神経伝達物質や神経修飾物質は脳のいろんなところにアナログでじわっと伝わっていくような感じなので、それをうまく計算機に実装するのは難しいと思います。ただ、それにチャレンジしているグループもあるので、そのうち計算機上に心が生まれるのかもしれません。

飯吉　心が生まれますか。

平田　神経伝達物質までも上手に記述できるような数理モデルができれば可能かもしれません。

飯吉　これが心であると言えるわけですか。

平田　心の存在をどう証明するかは難しそうですね。計算機が速くなってきたので、いろいろと妄想したことを計算機上では実際に試せる時代にはなっているんじゃないかと思います。

　　▶ **研究の道に進むまで**

岩間　平田先生がどんなご研究をされているのかお聞きしてきましたが、そのご研究を志されるようになった経緯について、少しお伺いしたいと思います。

　まず、平田先生はご出身はどちらですか。

平田　東京です。

岩間　東京のどちらですか。

平田　品川区の北品川というところで育ちました。飯吉先生もご出身は東京で、築地とのことですが、私は北品川で、結構な下町で育ちました。その地域での最重要イベントは品川神社のお祭りでした。祭の日は小学校も早く終わり、急いで家に帰り、法被を着て足袋を履いて、神輿を担ぎに行くんです。近所の仲間たちはみんな、その神輿を一番いい場所で

担ぎたいと思っていました。それが子供達の一番のモチベーションになるような下町文化の中で育ちました。

　その他、スポーツが好きで、体操や水泳を習ったり、町の野球チームに所属したりしていました。母が飛騨の高山のもうちょっと山奥の出身で、夏休みの間だけ毎年母の実家で何週間か過ごしていたんですが、そこでは虫や小動物を捕まえて、観察するのが大好きでした。今思うと、自分がこう近づくとこの虫はこっちに逃げる、要するに、自分がある動物にこう入力するとこの動物はこう出力してくるみたいなことを考えながら、上手に捕まえる作戦を立てていたようです。そうやって作戦を立てながら生き物を捕まえるのが大好きで、特に俊敏に動くオニヤンマを捕まえることと、大きなカエルを捕まえること、あと川の魚やザリガニを獲るのも好きでした。釣るのではなく、素手やモリで捕まえるのが好きでした。小さいころの夏休みはずっとそんなことをして遊んでいた記憶があります。

岩間　そのころから動物への入力と出力といったことを考えるのが好きだったというのは、今につながるようでおもしろいですね。

平田　結局それが工学的な物の見方だったんですね。生き物をシステムとして捉え、こういう入力を入れたらこういう出力が出てくるはずだと予測できるぐらいそれを理解すること。工学部で勉強し始めてから、どうやら工学とはそういうものらしいということに気づきました。

岩間　お父様は何かそういったお仕事をされていたんですか。

平田　父は、いすゞ自動車という自動車会社でトラックのトランスミッションをつくっていました。父からさほど教育を受けた記憶はありませんから、やはり自然の中で遊びながらそういうことがおもしろいと、自然に考えるようになったんじゃないかと思います。

岩間　なるほど。子供のころからそういったことに興味がおありで、大学は豊橋技術科学大学の工学部とのことですが、これはどうしてそちらへ進まれたんですか。

平田　まず、私は大学へ行く前に高等専門学校（高専）に行きました。中

学から高校へ入る受験勉強をしているとき、暗記ばかりの試験勉強が不毛に思え、大学受験でもまた同じことをするのは真平ごめんと考えて、工業高校に行ってすぐに就職しようと思っていました。そのことを進路指導の先生に話したところ、それなら高専に行ったらいいじゃないかと勧めていただいて、進路を決めました。

　その前からいろいろスポーツはしていたんですが、特に高専に入ってからは、ずっとバレーボールに熱中していました。すごくスパルタ式の訓練の時代で、監督が東京オリンピックで東洋の魔女[6]を優勝させたときの強化コーチだったこともあり、朝練があり放課後も夜までずっと練習というような中でしごかれました。そのおかげもあって、3年生のときには全国大会に出場し、4年生のときには全国で3位になるなど、いい成績をおさめられました。そういうチームの中でも私はレギュラーで、4年生の時にはキャプテンになって、自分でもバレーボールが上手い方と思ってプレーしていたので、卒業後は実業団のバレーボール選手になることも夢見ました。ところが、全国大会で上位チームと戦うと、自分とは全くレベルの違う人たちがいて、上には上がいることに気づかされました。なぜこんな不公平が起こるのか？寝る間も惜しんで正月休み以外は1年中ずっと練習してきたのに、なぜわれわれが負けるんだろう？と考えているうちに、結局、生まれながらの運動能力やセンスに違いがあるのだと納得しました。それでバレーボールの選手になることは諦め、4年生でクラブは引退しました。

　高専では5年生の時に卒業研究があります。そのときは生物と全く関係のないアンテナの研究をしました。まずこういうアンテナをつくったらこういう電波が出せるみたいな理論的な設計をし、それを実際に自分でつくり、実験をして、アンテナの特性をいろいろ評価するといったことをしました。それがすごく楽しくて、暗記もしなくていいし、受験勉強とは全然違う。これが学問だったらもっと勉強したいと思いました。卒業研究を通して自分は実験をしたり、文献を読んだりして考えることが好きなんだということに気づき、高専から大学に編入する道を選びま

した。高専での専門が電気工学だったので、大学は電気電子工学科があり、高専の教育と連続性を持っていると言われていた豊橋技科大に学科試験免除で編入しました。大学では４年生になると卒業研究をする研究室を選びますが、豊橋技科大では、電気電子工学科でも情報工学科の研究室に入れる制度があったので、卒業研究は情報工学科の生体情報工学の研究室を選びました。

岩間 先生はどなたですか。

平田 臼井支朗先生です。カリフォルニア大学バークレー校で学位を取り、日本に戻られて豊橋で研究室を構えておられました。臼井先生のバークレーのときの先生がローレンス・スターク[7]という方で、さらにその先生に当たる方がノーバート・ウィーナー[8]でした。

飯吉 『サイバネティックス』ですね。

平田 はい。サイバネティックスを提唱した数学者です。サイバネティックスというのは、簡単に言うと、工学理論により動物の行動や生体内の情報処理を理解できるという概念です。それまで生物の研究は生物学者や医者が行っていましたが、工学の理論を使っても、さきほどのインプットとアウトプットみたいな考え方で、きちんと定量的に、客観的に生物を理解できるというわけです。それを提唱したノーバート・ウィーナーの弟子の一人であるローレンス・スタークさんの、さらにそのまた弟子が臼井支朗先生で、その系譜で情報工学の理論を使って生体のことを研究している研究室に入りました。

岩間 いろいろな先生がいらっしゃる中から、この先生がいいと選択されたんですか。

平田 そうですね。先生はたくさんいましたが、電気電子工学科や情報工学科でサイバネティクス的な生体の研究していたのはこの研究室だけでした。他に、当時はどこかに、アメリカへの憧れみたいな意識もあったように思います。アメリカでPh.Dを取られて、コネクションをお持ちの先生だったので、自分もこの研究室に入れば、アメリカに行って活動する機会があるんじゃないかと期待していたのだと思います。

岩間　大学でも卒業研究があったんですか。

平田　ありました。そのときは、ウィーナーが提唱したサイバネティックスを初めて実際に生体システムに適用した例であるとローレンス・スタークさんがおっしゃっていた瞳孔の制御システムについて研究しました。スターク先生は、サイバネティックスの考えを瞳孔の制御システムに適用し、いろんな光を入力すると瞳孔はこうやって縮んだり広がったりするということを数式で表していたんですが、私はそれをもう少し発展させました。

　心拍や血圧など人間の生命活動の維持を無意識下でうまく制御してくれる自律神経系というシステムがありますが、瞳孔の大きさを制御しているのも自律神経系なので、瞳孔の大きさを測れば逆に自律神経系の活動を推定できるんじゃないか、つまり、出力を見ればどういう入力がなされたのか推測できるはずと考えて研究しました。

岩間　そのころからもう目を研究対象にされていたんですね。

平田　そうですね。大学４年生のときに瞳の研究を始めました。

►宇宙開発事業団での研究

岩間　大学院まで進もうと考えられたのは、大学で卒業研究をされ、研究がおもしろいと考えたのでしょうか。

平田　それもあります。ただ、豊橋技科大では８割以上の学生が大学院に進んでいました。高専で５年間学んだ学生は３年生に編入するので、学部の３年生、４年生の後、さらに２年間、大学院に行くのが普通という感覚でした。それで私も、修士までは進学か就職かは迷いませんでした。

岩間　修士でも今おっしゃったような研究の発展をなさったんですか。

平田　はい。ただ、修士の２年生のとき、毛利衛さんが日本人宇宙飛行士として初めて宇宙に行き、さきほど話をした弥富の鯉の実験をされたんですね。それは宇宙酔いに関する実験で、宇宙酔いにも小脳が関係しているという仮説があったので、小脳から脳波を計測する実験がおこな

われたんです。

岩間　宇宙酔いというのは、車酔いみたいなことですか。

平田　似たような症状と言われています。宇宙に行くと気持ち悪くなって数日その症状が続いてしまい、決められた作業がなかなかできないそうで、その原因を探るために鯉の脳波を計測する実験をしたんです。この計測された鯉の脳波の解析を私の指導教授の研究室が担当することになり、私がその主担当になるということが修士の終わりごろに決まりました。そのころから宇宙にかかわる研究も始めました。

岩間　飯吉先生、毛利衛さんは中部大学にも何度か来ていただいていますよね。

飯吉　そうですね。ちょっと余談になりますが、うちの本島修先生も宇宙飛行士になりたかったんですよ。京都大学のころの私の弟子ですが、本島君と毛利さんの二人が競争をして、僕はどっちも行けそうだと思っていたんですが、結果は毛利さんの方になりました。だからといって仲が悪かったわけではなくて、今でも仲よく交流していると思います。

岩間　そうだったんですね。本島先生と競争しているときから先生は毛利さんのこともご存じだったんですか。

飯吉　知っていました。彼は核融合の研究者だったんですよ。僕はどっちも行ける能力を持っているんじゃないかと思っていましたけどね。

岩間　宇宙飛行士には、やっぱり憧れますよね。

平田　そうですね。特に当時は格好よかった。本島先生は背が高過ぎてスペースシャトルに入れなかったので、選ばれなかったんじゃないですか（笑）

飯吉　中に入り切れなかった。

平田　私もそれを言いわけにしています（笑）。私の場合は実際には違う理由ですが。

岩間　背が高くてだめということもあるんですか。

平田　あるんじゃないでしょうか（笑）。スペースシャトルの天井はかなり低くて、NASAの宇宙飛行士にも、そんなに大きな方はいないと思い

ます。

岩間　確かに、そんな感じはします。それで大学院を修了された後は宇宙開発事業団（現JAXA）でお仕事をされたのですね。

平田　はい。大学院のとき、毛利さんの鯉の他にも宇宙関係の研究テーマに携わったことがあって、パラボリックフライト実験というんですが、航空機を自由落下させて無重力を得るような実験に何度も参加させてもらったんです。1回20秒ぐらいの無重力なんですが、それが1日に8回以上繰り返され、数日間連続で被験者や実験者として搭乗しました。これが大学院在籍中に何年か連続で実施されたので、100回くらいは無重力を実際に体験しています。無重力の前後には2G程度の過重力の時間もあって、それも20秒ぐらい続きます。このような過重力と無重力を何回も体験しているうちに、重力というのはすごく不思議なものだと思いました。地上で生まれてからずっと1Gが加わった状態で生活しているので、それが当たり前というか、重力は常に一定で可変パラメーターでないように感じちゃうんですが、無重力で動こうとすると地上では想像できないような言い表しようのない感覚になりました。過重力では体が2倍くらい重くなりますので、実際にかなり腰や首に負担がかかり、腕を上げるのも大変な、過酷ですが不思議な感覚になりました。それで、宇宙飛行士になって、もっと長く無重力を体験してみたいという思いもあって、宇宙開発事業団に入りました。宇宙飛行士の選抜をする宇宙開発事業団に入って、宇宙関係のことにかかわっていたら、宇宙飛行士に応募したときに有利になるだろうという下心もあり、学位取得後の進路をそこに決めました。

　ただ、当時も、恐らく今でも、宇宙開発事業団では正規の職員の方は研究をしておらず、研究は外部に委託という感じだったので、普通に宇宙開発事業団に入ったら研究はできない状況でした。それで、研究ができるポジションとして、当時は新技術事業団という名前だった今のJSTの若手特別研究員に応募し、採択いただいて、研究員として宇宙開発事業団に行きました。

岩間　そのときはどういった研究をされたんですか。

平田　ちょうと向井さんが2度目の宇宙飛行に行くことが決まった時期で、スペースシャトルの中で向井さんのご専門でもある医学・生物学実験をおこなう「ニューロラブ」というミッションが計画されていました。いろんな脳科学・神経科学・医学実験が計画されていたんですが、その中の一つが、魚を使い、魚の重力センサーから信号を計測するもので、そのプロジェクトを担当しました。

　そのときは金魚でなくガマアンコウという体長30cmくらいのアンコウを使っていました。これは丈夫でかつ頭がフラットで手術しやすいという利点があったからです。魚も人と同じように内耳に重力センサーがあり、その重力センサーから脳につながる第8神経という神経があるので、その神経から電気活動を長期間連続的に記録しようというプロジェクトでした。スペースシャトルは打ち上げのとき激しく揺れますので、普通の方法では電極を上手に挿してあってもすぐに神経からずれてしまい、重力センサーからの神経の活動が取れなくなるという問題がありました。それで、画期的な方法として、神経は一度切っても再生するという性質を使い、たくさん穴のあいた薄っぺらいウエハー[9]型の電極をつくっておいて、神経を一度切ってそれを間に入れ、切った神経がウエハーの穴を通って再生するようにさせる実験が考えられました。

飯吉　それはもとの状態に戻るんですか。それとも、違うところとつながるのか。

平田　恐らく同じ線維同士がまた繋がることはないと思います。ただ、再生すれば、とりあえず重力センサーとしての機能は保たれ、その神経活動を安定して連続記録できるという実験でした。顕微鏡下でおこなうとても細かな手術でしたが、私は割と器用でそういう作業が得意だったので、このプロジェクトで地上での電極埋め込み手術とその後の神経電位計測実験を担当しました。

　手術の方法は、このプロジェクトのPI（研究代表者）だったワシントン大学のスティーヴ・ハインシュタイン先生に教えていただきました。ガマ

アンコウを日本で輸入するとかなりのコストがかかるということで、私がアメリカのボストン郊外にあるウッズホール海洋生物学研究所へ行って、夏の間そこで研究をしていたハインシュタイン先生に手術法を学びました。下村脩先生を始め多くのノーベル賞受賞者が夏の間その研究所に集まって集中して研究をするところで、とても良い環境でした。

飯吉 いい先生にめぐり会いましたね。

平田 はい。ハインシュタイン先生は、伊藤正男先生の研究室の出身で、東大で学位を取られ、日本の文化や日本人の気質もよくわかっていました。本当にいい先生にめぐり会えました。

飯吉 日本人は器用だから、むしろ平田先生の方が器用だったことでしょう。

平田 最初に「こんなに細かい手術が君にできるか？」と聞かれた時、その先生は本当に手が大きかったので、「あなたにできるなら私にもできます」と答えてしまいました（笑）。ところが、実際に手術を見せてもらうと、ハインシュタイン先生の手術は神業でした。それで、ウッズホールではいろいろなテクニックを実践しながら教えていただき、多くのガマアンコウにも協力してもらって（笑）、私にも電極埋め込み手術ができるようになりました。

飯吉 アメリカにはハインシュタイン先生を頼って行かれたのですか。

平田 はい。海洋生物学研究所でガマアンコウの手術を習ってからは、宇宙開発事業団の筑波宇宙センターで電極埋め込み手術や実験をしていたんですが、その頃宇宙飛行士の募集があり、それに応募ましたがだめでした。そのときは野口聡一さんが採択されました。それで、もうしばらく募集もないだろうし、宇宙飛行士になれないんだったらここにいてもしようがないと思って、学生時代からアメリカに行きたいという夢があったので、ガマアンコウの実験をしに日本に来ていたハインシュタイン先生に直談判し、雇ってもらうことになりました。

飯吉 どこにですか。

平田 ワシントン大学です。

飯吉　いい大学ですね。そこへどのぐらい行っていたんですか。

平田　２年半です。宇宙開発事業団に２年半いた後、ワシントン大学に２年半行きました。

飯吉　そこから帰ってきて中部大学へ来られたのですね。

平田　そうです。

▶ 重力と運動

飯吉　今の一番の関心事は何ですか。

平田　やはり重力ですね。特に運動の制御にどう影響しているのか。

飯吉　まだわかっていないことが多いんですね。

平田　はい。どうもわれわれは、重力の方向を基準軸にし、無意識のうちにその軸に合わせて運動を計画して動いているみたいなんですが、ではその重力をどう推定しているのか。今、重力がこの向きにこの大きさでかかっているということを、われわれはどのようにわかっているのか。そこが一番関心のあるところです。

　さきほどから重力センサーという言葉が出てきているので、重力センサーがあるならその情報を使えばいいじゃないかと思うかもしれません。でも、重力センサーというのは加速度センサーなので、重力にも反応するんですが、普通の並進加速度にも反応してしまうんですね。われわれの内耳にある重力センサーは、傾いたら重力に対して反応するんですが、並進加速度運動をしても同じように反応してしまうんです。そうすると、重力センサーの情報だけでは、重力がどちらを向いているのか、自分がどちらに動いているのか判定できないという問題が起こります。これは等価原理としてアインシュタインが最初に指摘した問題ですが、この問題を脳は上手に解決しているんですね。われわれは目をつむって視界が見えない状態でも重力に対して傾いているのか横に並進運動しているのかわかります。つまり、脳は、センサー情報から何らかの計算をし、重力がどっち向きかという推定値を常にきちんと算出しているわけです。それを脳がどのように実現しているのかという点が今一番の関心

事です。

飯吉　それは脳神経の問題ですか。

平田　脳の中の神経系で計算しているはずです。

飯吉　その辺になると意識の問題ですね。意識と無関係ではないから。

平田　それもあると思いますし、進化とか、生まれてからずっと１Ｇ環境にいることとか。

飯吉　深い問題です。

平田　よく自衛隊などの飛行機が落ちた原因として空間識失調という説明があるのですが、まさにその空間識というのが、空間に関するわれわれの意識のことなので、意識と深い関係があるはずです。より具体的には、空間識は、空間の中で自分がどういう姿勢をとっているか、重力に対してどれぐらい傾いているか、どういう運動状態にあるかといった知覚のことです。例えばパイロットがジェット機に乗ったときなど、人間の進化上、全く体験したことのない加速度の環境にさらされると、脳がこれを間違えるんですね。典型的なものとして、飛行機は地面に水平に前方に加速しているのに、パイロットは上に傾いていると錯覚してしまうことがあるそうです。前方への大きな加速は、重力センサーの反応では上に傾いている時と同じ状態だからです。パイロットが、機体が上に傾いていると錯覚するため、もとに戻そうとして機首を下げてしまい、そのまま墜落してしまう。これが空間識失調を原因とする墜落事故です。

　このように、人間も間違えるんですが、どうして間違えるのか、どのくらいの加速度や周波数から間違えるのか。多分ふだんの生活の中でもそんなに正確ではなくて、いろいろな場面で間違えているはずですが、人間や動物は、目からの情報など他の感覚器からの情報を使って、フィードバックをかけて上手に空間識を調整しているのだと考えています。

飯吉　宇宙実験での微調整は難しいでしょうね。

平田　おっしゃるとおり、重力のないところでは参照基準軸がありませんから、難しくなると思います。そういう中でわれわれは自分の体をどう制御できるのかということに今すごく関心があります。特に、月に行

くと重力が6分の1になるので、そんな小さな重力になってもわれわれはちゃんと運動できるのでしょうか。

飯吉　月面着陸の映像などからその辺の問題意識が出てくるんですか。

平田　そうですね。アポロの宇宙飛行士たちは、ジャンプするように、かなり軽そうに動いていました。あれは着陸直後の映像でしたが、あの環境に長く滞在すれば、6分の1Gにうまく適応して、月面環境に合った自然な動きができるようになるのか、という点がおもしろい問題と考えています。

▶ 大学での研究の発展

岩間　さて、後半では今回の本の大きなテーマでもある日本の理工学の未来についてお伺いしていきたいんですけれども、さっきもお話があったように、平田先生はワシントン大学でもご研究をされていて、アメリカと日本の研究環境の違いなどもいろいろお感じかと思うんです。長年ご研究をされてきた中で、日本の理工学研究の現状について、何か思っておられることはありますか。

平田　私の研究分野が理工学研究の典型例ではないと思うんですが、先ほど申し上げたように数学や物理の理論を使って工学的な視点から脳を理解するという研究分野なので、理工学の枠から外れてしまっているわけではないと思います。私の知っているそういう理工学の研究分野では、伝統的に異分野共同研究が多くなされてきました。人や動物を使った実験をし、そこに工学的な理論を適用するので、必然的に医学や生物学者との共同研究が必要になります。それが日本では、私が中部大で研究を始めたころは、ちょっと少ないという印象を持っていました。それでも、われわれの世代はポスドクとして海外に行っていろいろなことを学びながら人脈をつくり、日本に戻ってきてからも海外とのコラボレーションを積極的にしていたような印象があります。それがわれわれより若い世代になると、留学する人が減り、海外コラボレーションを積極的に進める研究者が減ってきてしまったように感じています。さらにコロ

ナ禍になって、そういう機会が全く失われてしまいました。ようやくパンデミックが収束してきて、また急にそれが元に戻ってきているように思いますが、それにしても、やはり海外との共同研究はまだ少なく、最新のホットな研究情報が肌感覚として入ってこないような感じがしています。

　アメリカにいたころは、ひっきりなしにいろんな研究者がセミナーに来て講演をされ、その後、立食パーティーなどでざっくばらんに、研究の裏話を含めたいろいろな話を聞くこともでき、一流の人や旬の人を身近に感じられるような環境がふんだんにありました。でも、日本にいると、それがなかなか感じられません。コロナ中にZoom等の遠隔会議がすごく手軽に利用できるようになり、その点が解消されるかという期待もあったんですが、意外とZoomでは本音を言わないんですよね。ああいう遠隔のコミュニケーションでは、やはりコラボレーションをする上で一番重要な人間関係みたいなものは築けませんでした。

　そういうわけで、現状まだ海外とのコラボレーションが足りないし、それが日本の理工学分野の研究を活性化していく上で、これから特に重要な点になってくるんじゃないかと考えています。

岩間　日本の研究状況を見ると、海外との共同研究は以前より多くなってきたとはいえ、まだまだ少ないですね。

平田　ええ。岩間先生の分野でもそう感じられませんか。

岩間　それはかなりあります。ただ、文系なので、理系とは少し違うのかもしれません。自然法則は世界共通ですから、理系の学問は絶対に世界規模で考えないといけませんが、文系の学問の場合、法律、社会、経済、文学など、国ごとに状況が違うので、それぞれ特定の国のものを研究対象にすることが多いです。そういう背景もあって、もともと理系よりは世界レベルでの切磋琢磨は少ないですね。とはいえ、比較研究や共通する理論研究はありますし、国際的な共同研究が活発になっていくといいとは思います。

飯吉　われわれの核融合の分野だと、エンジニアリング、テクノロジー

といったものがかなり大事になってくるので、そういう意味では日本は割とセンスいいんですよ。例えば、アメリカの企業から日本の大学と共同研究したいという声が結構かかります。大手IT企業からも一緒にやろうという声が結構来るんですね。ただし、彼らはベンチャー企業と一緒にやりたいと言うんです。大学だと、どうしても基礎研究で、自分の好きなことをしちゃうから、言っていることと実際にやっていることが違うと。アメリカはかなりプラグマティック（実利的）なので、そうじゃなくて、役に立つことをやりたいというわけです。ですから、大学というよりも、むしろ大学が持っているベンチャー企業のグループなどとやりたいという声が多いんです。

　確かに、それはそのとおりだと思います。基礎研究なら、どことやってもあまり変わらないじゃないですか。ところが、ベンチャーみたいなものは、何をメインテーマにするかで全然違ってきます。いわゆる大学間でなく、ベンチャー同士やベンチャーと大学がうまくコラボすることによって、僕はいい方向に行くと思っています。例えば、実際に今も、うちの小澤正直先生の数学理論が具体的に応用されようとしています。

平田　量子コンピューターや量子認知科学として、ですね。

飯吉　ええ。大学だけでなく、ベンチャー企業とトライアングルで共同研究をしながら双方で実際にやるというようなことがこれからの流れなんじゃないでしょうか。そう思いませんか。

平田　はい。私も今、宇宙ベンチャー企業の方から声をかけていただいています。今打ち上がっている国際宇宙ステーションが2035年になくなり、その後は各国でプライベートな企業が宇宙ステーションを上げることになるからということで、中国やアメリカの企業がもういくつか具体的に計画を進めているようですが、日本でもそれをやらなければと考えて、行動している気概のある方々です。

　われわれの方のプロジェクトとしては、先ほどから少しご紹介している脳が重力をどう感じているかということと、さらに、外から何らかの刺激を与えて重力の感覚を変調させられないかということを研究し、無

重力状態でなくても、あるいは月にいなくても、あたかも宇宙空間や月にいるような感覚になる技術を開発しようと考えています。彼らはわれわれのその目標に賛同してくださって、日本製の宇宙ステーションの中で提供するエンターテインメントのサービスに応用できないかということで、共同研究を始めましょうという話になっています。

飯吉　いいですね。今そういう方向に進んでいるのは、大変健全な状況だと思います。

岩間　これからの大学の役割を考えるとき、基礎研究は基礎研究でやるとしても、いろんな応用について、ベンチャー企業などといろいろコラボしながらやっていく方向性もあるということですね。

飯吉　ベンチャー企業といっても、やはり基礎研究も結構必要なんです。結局いろんな分野を抱きかかえて進むことになるので、僕は今一番元気が出るのはベンチャーじゃないかと思っています。大学だけではどうしても興味がクローズしちゃうんですが、ベンチャーとなれば企業も入るし、そうすると関心の幅が広がってくるので、とてもいいんですね。

　ただ、問題は、ベンチャーでやろうとすると、どうしてもお金がかかることです。そのお金をどうするのか。例えば、われわれが今話をしている企業も、すぐに成果が出ないから大学にはお金を出したくないけれども、ベンチャーになら出してもいいと言うんですね。要するに、同じテーマでも、大学でやるのとベンチャーを組織してやるのとでは、後者の方が成果が出ると言うんです。僕もそうなんだろうと思います。ですから、佐藤元泰先生を中心に核融合のベンチャーも立ち上げているところです。そうすると、やはり企業の反応も違ってきます。大学にいくらお金を入れてもあまり実りがないけれども、ベンチャーなら、お金を出す方も出しやすいし、出した結果も役に立つことが多い。

岩間　大学発ベンチャーにということですよね。大学にはお金を出したくないが、大学発ベンチャーならよいと言うことですか。

飯吉　結局大学に出すんですが、大学の研究グループにじゃなくて、大学がつくったベンチャーになら出してもいいと、今はそうなってきてい

ます。いずれにせよ、もう純粋研究はあまりやりたくないという企業が
結構あります。

岩間　いろんな面で得なやり方があるんでしょうね。

飯吉　そうそう。佐藤元泰先生や武藤敬先生がミュオンを使った核融合
研究で考えてくれています。

岩間　核融合にはアマゾンもグーグルも、今いろんなIT起業家が関心を
持っていますよね。

飯吉　そうですね。平田先生のなさっていることも、実用という点で、
企業が関心を持つテーマが多いのかと思います。

▶ AIロボティクス学科での教育

岩間　少し教育面についてもお伺いしたいんですが、今年度（2023年度）
から中部大学に新しくできたAIロボティクス学科はいかがですか。

平田　9年間のロボット理工学科の後、その教育プログラムを踏襲しな
がら改良し、教員はほぼそのままでAIを冠する新しい学科になっている
んですが、普通に考えますと、ロボットやAIは応用なので、基礎を学ぶ
べき学部の低学年からそれらを学ぶのは、学び方として何かちょっと反
対のような感じがすると思います。本来は、まずロボットやAIに必要な
数学、物理、電気・機械・電子・情報工学を学び、その基礎の上にロボッ
トやAIをつくるという順番のはずなんですが、われわれの学科はそれを
逆にしているわけです。これはよく企業の人が使うバックキャスティン
グみたいな捉え方ができて、要するに、ここに到達したいという目的が
最初にあり、それを実現するにはこうしたらいいとバックキャストしな
がら必要な要素を積み上げていくアプローチなんですが、ロボット理工
学科の9年間をふり返ってみると、まさにそういうことをしてきたんだ
なと思います。

　ただ、もうかなりの数の卒業生たちが出ている中で、きちんとした調
査をしたわけではありませんが、私の研究室で卒業研究をした学生や修
士・博士まで残っている学生を見ていると、バックキャスティング的に

ロボット・AI教育をするなら、4年間ではちょっと足りないという印象があります。修士まで行くと、最初にロボットをつくりたいと入ってきた学生たちが、自分に必要な基礎はこれだときちんと気づき、卒業研究からつなげて修士研究あるいは修士の授業等でその基礎的な技術を学べるのですが、学部の4年間だけですと、それがきちんと身につかないうちに卒業してしまうことが起こっていたと思います。

　そういう意味で、AIやロボットに関しては、6年一貫教育ぐらいの長期的な視点で学べる教育システムをつくった方がいいのではないかと考えています。

飯吉　僕もそれは賛成です。4年ではちょっと短いですよね。中途半端です。ある程度先取りしていろんなチャレンジをし、経験を積んだ学生が修士なり博士を出て企業に行くようになれば、企業に入ってからもさらに伸びて成果が出せるんだろうと思いますが、今はそういう教育をしていないんです。

平田　すごく広く浅く、ロボットのことは一通り触れておくみたいな、つまみ食いのような形になっているので、学生もすべてを消化するのは大変ですし、自分の強みがはっきりと見えてくる前に就活が始まり、卒業研究も消化不良のまま卒業ということになっている例も多い印象です。

岩間　ロボットやAIに興味を持ち、おもしろそうと思った子たちが入ってくるわけですよね。それで、最初からロボットをいじったり触れ合ったりする機会があるわけですか。

平田　そうです。演習を通してロボットをつくって、動かしてみる機会があります。

岩間　そこからだんだん、この仕組みはこうなっていてとか、これに必要な知識はこれでということを学んでいくんですね。

平田　はい。先ほどお話ししたように、われわれの学科ではロボットをこう動かすためにはこういう理論が必要ということを、バックキャスト的に学びます。今はやりのプロジェクト・ベースド・ラーニングになっていると思うのですが、これには、これまでの一方通行の講義と比べて、

どうしても時間がかかるので、4年間では足りないのかなという感じがしています。

岩間 新しくカリキュラムをいろいろ改編しても、やはりそういった部分は残るんですか。

平田 絶対的に時間が足りないという点は、カリキュラムの改編だけでは解決しきれないものだと思いますが、今また新たなAIロボティクス学科に1年生が入ってきたところなので、彼らがどう成長していくのかを見守りたいと思っています。それと並行して、カリキュラムを改善するだけでなく、われわれ教員の意識も、過去の9年間を振り返りながら、改善していく必要があると思っています。

　既に良い感触として、今年の1年生は、今までの学科とがらっと雰囲気が変わったと感じています。急に女子が増え、10人以上います。この間スタートアップセミナーという一年生向けの講義をしてきたんですが、自分の所属する学科ではないような雰囲気でした。

飯吉 女子学生はどういう目的で入ってきているんですか。

平田 「AI」が学科名の頭について増えたということは、やはりAIを学びたいということなんじゃないでしょうか。

飯吉 それは、ロボットに来なくたって、今は何でもAIですよね。

平田 そうなんですが、「AI」を冠したので、それを目的にかなり元気のいい女子が集まってきているのだと思います。今までのロボット理工学科は、少人数だったということもあって、女子はあまり目立たなかったんですが、今年の1年生はすごく女子が頑張っていました。

岩間 それはすばらしいですね。社会的にも、女子はAIやロボットを勉強する学科へ行かないものだという価値観が大分変わってきました。本当は興味があっても高校の先生に反対されて行けなかった例もたくさんあったようですが、今はもう女子だって行っていいんだという空気になりつつあります。

平田 高校の先生が反対するんですか。

岩間 そうです。女子が理系に行くと言うと、高校の先生は反対するこ

とが珍しくなかったそうです。

飯吉　今もですか。

岩間　去年、今年くらいから一気に流れが変わってきています。これまでは、女子は文系へ行けと勧められていたようです。

平田　進路指導の先生の意識も変えてもらわないといけませんね。

飯吉　先生の卒研でも、今は女性も結構いるんでしょう。

平田　はい。卒研生に二人、博士課程に一人います。

飯吉　ちゃんと男性と変わりなくやっているんですよね。

平田　やっています。今博士課程の女子学生は特別奨学生として入学してきたんですが、修士からは、本学の後継者育成事業の奨学生に選ばれ、博士課程からはJSTの挑戦的研究プログラムのグラントももらって、すごく頑張って研究しています。本学の海外研究指導委託の制度を使って留学にも行きました。昨年、オーストラリアでの国際会議に参加したときは、向こうでコロナに感染してしまって出国できなくなってしまったのですが、それでも1週間の隔離期間を楽しんで、無事に帰ってきました。男子学生より逞しいくらいです。

飯吉　平田先生のような理解のある先生がもっと増えるといいですね。

平田　工学部出身の教員の多くは、同級生に女子がほとんどいなかったので、どうやって女子学生に接すればいいかわからないみたいなところがあると思います。私の研究室には何人か来てくれているので、大分、彼女たちのメンタリティーもわかってきたように思います。それでも、工学部の研究室では、まだまだ男子が圧倒的に多いので、女子が男子に合わせているような場面がたくさんありそうです。できれば男女が半々くらになると、バランスが取れて、研究を進める上でもこれまでにないシナジーが生まれそうです。

▶ **サイエンスの未来**

岩間　本学ではAI数理データサイエンスセンターのセンター長もされていますが、そちらではどういう活動をなさっているんですか。

平田 2019年に文科省が、高専以上を卒業する学生は文系も含めて全員がAI・データサイエンスの基礎をきちんと身につけるべきという、2025年を目標年次とする提言を出し、そのための「数理・データサイエンス・AI教育プログラム認定制度」という名前の制度を始めました。それに伴い、中部大学でも昨年度からその認定を受けるための講義を提供し始めて、昨年度末に文科省に申請し、たしか来月、それが認められるかどうかの結果が来ることになっています。教育面では主に、文系の学生さんも含めて全学的に、そういう形で数理・データサイエンス・AIの素養を身につけてもらうための教育プログラムを提供しています。

飯吉 初めてですか。

平田 中部大学としては初めてで、全国でもまだ170校ぐらいしか認定された大学はありません。これはリテラシーレベルという最も基本的なものですが、さらにその上にもう一つ、応用基礎レベルの認定もあります。今年度からは工学部と理工学部の学生さんを主なターゲットとしてそちらのプログラムも提供し始めています。

飯吉 全学的にですか。

平田 全学の学生が受けられるんですが、メインは工学部と理工学部の学生さん向けになっています。この二つの学部の学生さんにとっては、卒業要件の中で無理なく認定されるようなプログラムになっています。

飯吉 いいですね。

平田 応用基礎レベルも、来年度、文科省に認められる見込みです。教育面では、AI数理データサイエンスセンターではこれらのものを提供しています。

岩間 そのプログラムでは、授業として単位認定がされるということですか。

平田 そうです。決められた授業を受け、単位を修得すると、卒業時に認定という形です。

飯吉 どの学科の先生方が授業をされるんですか。

平田 主にAI数理データサイエンスセンター所属の先生方が提供して

います。

岩間　藤吉弘亘先生とか。

平田　はい。藤吉先生もセンターのメンバーで、応用基礎レベルの科目を担当されます。

　研究に関しても、本当に多様なバックグラウンドの先生方が集まってくださっています。昨年度までセンター長だった津田一郎先生が心や意識の問題について考えておられますが、飯吉先生からも関連するいろいろな刺激や宿題をいただきながら、メンバーの共通のテーマとして議論をしています。実際に人工的に心がつくれたら、われわれ理工学系のエンジニアとしては夢のような話なので、今の大規模な基盤モデルを用いたAIの延長ではそこに到達できないだろうという認識のもと、AIと対比させながら、人工的に意識や心をつくり出せるくらいに脳や人間を理解することを目指しています。

飯吉　心はかなりの部分が脳から出てくるわけで、うちにはそういう研究をされている先生方がいっぱいおられるから、皆さんに知恵を出してもらって、中部大学のオリジナリティでぜひ心についてもAIで進められるようにしていただきたいと思います。よろしくお願いします。外国ではもうそれをやっていますからね。

平田　頑張ります。

岩間　センターで心と脳のことも扱っているんですね。

平田　月に一度の運営委員会の他に、コロキウムを開催して、その場で議論しています。主に学外からいろいろな分野の著名な先生を招いて、まず研究のお話を聞き、それをきっかけにみんなでディスカッションするというような機会です。

飯吉　大いに刺激を与えてください。

平田　せっかく飯吉先生につくっていただいたセンターですので、大いに盛り上げたいと思っています。

飯吉　未来学ですから。今はAIの時代なんだけれども、結局AIというのは、過去のデータを無視してはどうしても先へ進めないんですよね。で

も、むしろ今のテーマとしては、サイエンスやエンジニアリングの未来がどう進んでいくべきか、また流れとしてこれからどういう方向に行くべきかが一番大事になってきます。

岩間　確かにAIは過去のデータをもとに学習していますから。

飯吉　先のことは何も言えません。では何が先を決めるのかというと、やっぱり一人一人の人間がどう考えるかというインテリジェンスですよね。ですから、各先生がAIをもとにその辺をどう見通すかというところが、一つ、その研究者の持ち味というか、力の出しどころなんじゃないですかね。

平田　なるほど。そうですね。

飯吉　未来学というのは、取り組むグループによって全然違うと思うんですね。ですから、中部大学として未来学はどうすべきかというグループをつくってください。

平田　私がつくっても力不足という感じがしますがどうでしょうか。

飯吉　いえいえ、平田先生が中心でいいんです。これから未来をどう生きていくのかが、やはり一番大事なテーマです。過去は、振り返ってみればわかるように、ろくな歴史をつくっていませんからね。戦争ばかりしています。これからの未来学は、もっと建設的にやってもらわないといけません。それには新しい視点をいろいろ入れていく必要があります。中部大学のオリジナリティとして、平田先生のグループも津田先生のグループもありますから、そういう人たちが集まって中部大学の未来学をどうするのかということをぜひやっていってほしいと思います。

平田　そこは理系だけでなく、やはり文系の先生方もということですね。

飯吉　そうです。入ってもらってね。文系が入らないと色あせたものになってしまうから。みんな関心は持っていると思うんですが、引っ張っていくドライビングフォースが必要です。それには平田先生が一番いいと思います。

平田　ありがとうございます。今までドライビングフォースとして飯吉先生に引っ張っていただいていたので、これからはできるだけ自分の力

でとは思っています。

岩間　いろいろおもしろいお話が聞けました。今日はどうもありがとうございました。

平田豊（ひらた・ゆたか）
1967 年生まれ。豊橋技術科学大学工学部を卒業し、1995 年豊橋技術科学大学大学院工学研究科システム情報工学専攻博士後期課程修了。宇宙開発事業団（現 JAXA）招聘研究員、ワシントン大学医学部リサーチアソシエートなどを経て、2004 年中部大学工学部教授。2023 年より同大学理工学部 AI ロボティクス学科教授。

注
1)　愛知県弥富市で養殖されている金魚。弥富は日本を代表する金魚の産地。
2)　Alan Hodgkin（1914 〜 1998）　イギリスの生理学者、生物物理学者。ハクスリーとともにイオンチャンネル仮説で知られる。
3)　Andrew Huxley（1917 〜 2012）　イギリスの生理学者、生物物理学者。ホジキンとともにイオンチャンネル仮説で知られる。
4)　神経細胞と神経細胞の接続部。神経細胞の神経突起が他の神経細胞に接合する部位をいう。
5)　ある機械（人工知能）が、人間の行う知的活動と同等、もしくはそれと区別がつかないほどであるかを確かめるテスト。イギリスの数学者アラン・チューリングが提案した。
6)　1950 〜 60 年代にかけて活躍した女子バレーボール日本代表チームの呼び名。東京オリンピックでは、ソ連チームを破り金メダルを獲得。
7)　Lawrence Stark（1926 〜 2004）　アメリカの神経学者。眼球運動の制御の研究で知られる。
8)　Norbert Wiener（1894 〜 1964）　アメリカの数学者。サイバネティックスの創始者
9)　円盤状の薄い板。

入門するキミに
―技術者が脳を科学する―

　工学の知識が脳を科学するのに役立つことを知ったのは、大学4年生の春、卒研の研究室を選んでいる時でした。ノーバート・ウィーナー（Norbert Wiener）という数学者が、1940年代後半にCybernetics（邦訳『サイバネティクス　動物と機械における制御と通信』、彌永昌吉他訳、岩波書店、1957年〔文庫版、2011〕）の中でそう述べていたのです。より正確には、「動物の行動や脳における情報処理は、機械と同様に、工学、特に制御と通信の言葉（理論）によって理解できる」とWienerは主張していました。幼い頃から昆虫や小動物を捕まえて行動を観察するのが大好きで、高専からは制御や通信理論を学んでいた私には、とても魅力的な研究分野に感じられました。それまでは、動物の行動、ましてや脳のことなどは"生物系"の人が扱うもので、"工学系"の自分の専門とは無関係と思っていたので、工学部でも生物の研究ができることを知り、目の前が開けた思いがしました。

　研究室は迷わずサイバネティクス研究ができるところに入り、瞳孔光反射系の研究に取り組みました。直径1cmに満たない瞳孔に、光学系を介して空間的に一様な光刺激を与え、瞳孔が収縮する様子をカメラで捉え、直径の変化を数値化し、それを再現する数式（非線形微分方程式）を導き、解を得るためのプログラムコードを書き、シミュレーションを実行する。対象が瞳孔という生物（なまもの）である他は、必要とされる技術と知識は、それまで学生実験や講義で身につけ、実践してきたものでした。まさにWienerの言葉通り、瞳孔反応を工学の言葉で理解できることを実感しました。この体験から研究のおもしろさを知り、その後も対象を変えながら、そして新しい工学技術や数学理論を勉強しながら、今もサイバネティクス的な研究を続けています。

　多くの人の認識とは異なり、エンジニアが扱える対象は無機質な機械や電気システムに限定されず、生き物やその脳にまで広がっています。脳の神秘を解き明かし、AIをさらに進化させていくのは、これまでも、そしてこれからも、数学と物理を道具として高度な工学技術を身につけたエンジニアなのです。

先生方のおすすめの本

澤本光男

〈入門者向け〉

1　水村美苗『日本語が亡びるとき　英語の世紀の中で』筑摩書房、2008年
2　片岡義男、鴻巣友季子『翻訳問答　英語と日本語行ったり来たり』左右社、2014年
3　ソーア・ハンソン（黒沢令子訳）『羽　進化が生み出した自然の奇跡』白揚社、2013年
4　井上靖『風濤』、『楼蘭』新潮文庫、1967年、1968年
5　トーマス・S・マラニー、クリストファー・レア（安原和見訳）『リサーチのはじめかた「きみの問い」を見つけ、育て、伝える方法』筑摩書房、2023年
6　ポール・ナース（竹内薫訳）『WHAT IS LIFE?　生命とは何か』ダイヤモンド社、2021年

〈専攻する者の必読書〉

1　岡村誠三他『高分子化学序論（第2版）』化学同人、1981年
2　Timothy P. Lodge, Paul C. Hiemenz, *Polymer Chemistry (Third Edition)*, CRC Press, 2020
3　井本稔『ナイロンの発見』、東京化学同人、1971年

津田一郎

〈入門者向け〉

1　デカルト（野田又夫訳）『精神指導の規則』岩波文庫、1950年
2　ポアンカレ（伊藤邦武訳）『科学と仮説』岩波文庫、2021年
3　夏目漱石『吾輩は猫である』新潮文庫、1961年（他にも多くの版がある）
4　ジョナサン・スウィフト（山田蘭訳）『ガリバー旅行記』角川文庫、2011年（あるいは朝日新聞出版、2022年）
5　津田一郎『心はすべて数学である』文春学藝ライブラリー、2023年

〈専攻する者の必読書〉

1　S．ウィギンス（丹羽敏雄訳）『非線形の力学系とカオス』丸善出版、2012年
2　K.T.アリグッド、T.D.サウアー、J.A.ヨーク（津田一郎監訳）『カオス』1巻、2巻、3巻　シュプリンガー・ジャパン、2006・2007年

3　アーノルド、アベズ（吉田耕作訳）『古典力学のエルゴード問題』吉岡書店、1972年
4　金子邦彦、津田一郎『複雑系のカオス的シナリオ』朝倉書店、1996年

中西友子

〈入門者向け〉

1　高橋英一『「根」物語　地下からのメッセージ』研成社、1994年
2　シュレーディンガー（岡小天、鎮目恭夫訳）『生命とは何か』、岩波文庫、2008年
3　串田孫一編『寺田寅彦随筆集』平凡社、2022年
4　夏目漱石『虞美人草』岩波書店、1972年（他にも多くの版がある）
5　マックス・ウェーバー（尾高邦雄訳）『職業としての学問』1980年、岩波文庫
6　中西友子『フクシマ 土壌汚染の10年　放射性セシウムはどこへ行ったのか』NHKブックス、2021年

〈専攻する者の必読書〉

1　森敏、前忠彦、米山忠克編『植物栄養学』文永堂出版、2001年
2　日本化学会編『実験化学講座　続　第4　核化学と放射化学』丸善、1966年
3　日本アイソトープ協会編『新ラジオアイソトープ　講義と実習』丸善、1989年

平田　豊

〈入門者向け〉

1　金井良太『AIに意識は生まれるか』イースト・プレス、2023年
2　中村修二『怒りのブレイクスルー　「青色発光ダイオード」を開発して見えてきたこと』集英社文庫、2004年
3　サイモン・シン（青木薫訳）『フェルマーの最終定理』新潮文庫、2006年
4　藤原正彦『数学者の言葉では』新潮文庫、1984年

〈専攻する者の必読書〉

1　ノーバート・ウィーナー（彌永昌吉他訳）『サイバネティクス　動物と機械における制御と通信』岩波文庫、2011年
2　ウォルター・B・キャノン（舘隣、舘澄江訳）『からだの知恵　この不思議なはたらき』講談社学術文庫、1981年

飯吉厚夫のすすめる書

1　ディケンズ（村岡花子訳）『クリスマス・キャロル』新潮文庫、2011年
2　福岡伸一『生物と無生物のあいだ』講談社現代新書、2007年
3　松尾豊『人工知能は人間を超えるか』KADOKAWA、2015年
4　茂木健一郎『生きがい』新潮文庫、2011年
5　吉村昭『新装版　海も暮れきる』講談社文庫、2011年

あとがき

　本書は、学校法人中部大学の飯吉厚夫名誉総長の在職 25 周年を記念して企画されたものである。飯吉先生は、長きにわたって学園の教育・研究の充実と発展に多大な貢献をされるとともに、ご自身の専門である核融合についても精力的に研究されてきた。その詳細については 2021 年刊行のオーラルヒストリー『物理学から世界を変える』（風媒社）に詳しいが、今回は各分野の最先端でご活躍の４名の研究者と「理工学の未来」についてご対談いただいた。前著と同じく先生方の生い立ちから研究を志すまでの歩みについても話題にし、さらには先生方に「入門するキミに」と題したエッセイも執筆していただいたので、読者のみなさんには科学の最先端に入門し自身の可能性を広げるヒントにもなったのではないだろうか。

　対談は、2023 年３月から１か月に１回、本書の収録順に行われた。基本的には初めに私から先生方の研究概要と生い立ちについて質問し、その後で「理工学の未来」というテーマでご対談いただいた。先生方からは、世界トップレベルの研究内容についての大変魅力的なお話とともに、今後の研究・教育の在り方についても示唆に富む見解をお聞かせいただいた。また、飯吉先生からは、物理学の幅広い知識だけでなく、大学・研究機関のトップを長年務められたご経験を背景に大局的視点でのご発言がなされ、非常に刺激的な対談となったことはお読みいただいた通りである。このような場に同席できたことを改めて幸運に思う。もし私が高校生の時代に本書を読んだならば、間違いなく本書で話題になったいずれかの分野を志したであろう。

社会学者の立場から言えば、普段あまり交流する機会のない先生方とコミュニケーションの機会をいただけたことも興味深い経験であった。ご自身の研究についてノンストップで語り続けられる先生に対し、司会進行の口をはさめないことも一度や二度ではなかった。それほどまでの研究に対する熱意と、非専門家にもできるだけ詳しく厳密に説明してくださろうとする配慮、そして研究を心から楽しむ姿勢とでもいうべきものが印象的であったことも付言しておく。理工学の輝かしい未来のためには、本書に登場された先生方のような知の探究者らが自己の好奇心に従って自由闊達に研究できる環境づくりこそが不可欠であろう。

　本書の刊行にあたっては、事務統括本部長の垣立昌寛氏、理事長・総長室の竹田佳乃氏、岡島健氏、大嶋宮佳氏に多大なるご協力をいただいた。対談中の写真撮影は制作課の裁香織氏によるものである。記して感謝したい。

　さらに、今回も風媒社の劉永昇編集長にお世話になった。厳しいスケジュールにもご対応いただき感謝申し上げたい。

　本書が読者の知的好奇心を刺激し、理工学の未来を創造する一助になれば幸いである。

飯吉 厚夫
学校法人中部大学名誉総長。1965年慶應義塾大学大学院工学研
究科博士課程修了。米国プリンストン大学プラズマ物理学研究所
客員研究員、英国原子力局カラム研究所研究員、慶應義塾大学工
学部助教授、京都大学ヘリオトロン核融合研究センター長などを
経て、1989年、文部省核融合科学研究所初代所長に就任。1999
年中部大学長、2005年総長、2011年理事長・総長を経て、2023
年から名誉総長。2015年瑞宝中綬章受章。京都大学名誉教授、
核融合科学研究所名誉教授、総合研究大学院大学名誉教授、ロシ
ア科学アカデミー名誉博士、オハイオ大学名誉理学博士。

岩間 優希
中部大学国際関係学部准教授。専門は社会学、ジャーナリズム研
究。著作に『PANA通信社と戦後日本』(人文書院、2017年)、『戦
後史再考』(共著、平凡社、2014年)、『戦争社会学ブックガイ
ド』(共著、創元社、2012年)、『文献目録 ベトナム戦争と日本』
(人間社、2008年) など。

理工学の想像力 飯吉厚夫と語る

2024年3月25日 第1刷発行 （定価はカバーに表示してあります）

著　者　　飯吉厚夫　澤本光男

　　　　　津田一郎　中西友子

　　　　　平田　豊

編　者　　岩間優希

発行所　　中部大学
　　　　　〒487-8501　愛知県春日井市松本町1200
　　　　　電　話　0568-51-1111

発　売　　風媒社
　　　　　〒460-0011 名古屋市中区大須1-16-29
　　　　　電　話　052-218-7808

＊印刷・製本／モリモト印刷　　　乱丁本・落丁本はお取り替えいたします。
ISBN978-4-8331-4163-5